はじめました
3
霜月りつ

この作品はフィクションです。
実在の人物・団体・事件などに
一切関係ありません。

神様の子守はじめました。

目次

第一話
神子たち、花見に行く

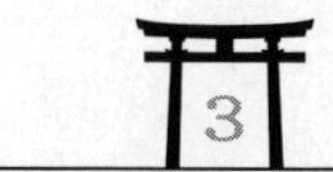

序

春。

出会いと別れの季節。

神子たちが卵から孵ってすでに二か月。

日々、小さな出会いを楽しんでいた子供たちは、今日、その短い人生の中で、最大の別れを経験した。

神獣戦隊オーガミオーとの別れである。

『今日からそれぞれの道を歩むんだな』

『どこかでまた会うこともあるだろう』

『みんな、元気でね！』

『みんながピンチの時はかけつけるぜ』

神獣の化身（けしん）のヒーローたちは仲間と別れ、テレビの前のちびっ子と別れ、去っていく。

神妙にテレビを見ていた四人の子供たちは、エンドロールが終わったあと、後番組、

「超特急ガイアドライブＸ」の予告編が始まっても黙っていた。

後ろで見守っている梓(あずさ)の方がはらはらした。

「あーあ」

「あーあ」

（アーア）

「……」

四つの違った音色のため息があがった。

「オーガミオー、ばばーい」

「おわっちゃったー」

（彼ラノ戦イハコレカラダ）

「……」

ＣＭが始まり、「愛の妖精プリティピュアムーン」のＯＰ(オープニング)が流れると、彼らはごろごろと畳の上に転がった。

「ねえ、ピュアムーンも最終回だよ？」

梓が子供たちを盛り立てるように声をかける。だが反応は鈍かった。

「んー」

「あー」

目だけを画面にむけたまま、声を返す。

「そういう態度はピュアムーンの制作会社に対して失礼じゃないかな」

つい大人の立場を考えてしまう梓だった。

しかし、いつもならＴＶの前でピュアムーンのＯＰを歌って踊る朱陽(あけび)でさえ、ごろごろと転がったままだ。

彼らの心の中をどれだけオーガミオーが占(し)めていたかわかる。

日曜日の朝にたまたまつけたＴＶに映っていたシーン。

青い竜が、白い虎が、赤い鳥が、黒い亀が、巨大な敵と戦っていた。そのシーンが子供たちの心をわしづかみにした。

そのときもう二月だったので、オーガミオーはすでにクライマックスだった。

その魅力のとりことなった子供たちのために、ＤＶＤをレンタル店から借りて一気見したら、ますます熱があがった。一週間のレンタルを毎週繰り返し、紅玉(こうぎょく)がいっそ買えや、と言ったくらいだ。

「オーガミオーもうやんないのー？」

蒼矢(そうや)が畳の上で仰向(あおむ)いて梓を見る。

「うん、みんなさようならーって言ってただろ？」

「ただいまーってかえってこない？」

「えっと、ほら、来週からはガイアドライブが始まるし、オーガミオーだってガイアドライブをよろしくって言ってたじゃないか。よろしくしてあげようよ」

「ガイアドライブ、へんなかおだからやだ」

子供の審美眼は厳しい。

「見てたらきっとかっこよくなるよ」

「えー」

「かっこよくなーい」

朱陽と蒼矢にはガイアドライブの評判がすこぶるよくない。

（渚史郎ガイナイ）

白花が珍しくむくれた顔をして呟く。

「渚史郎はオーガミオーに出てたんだよ、ガイアドライブは別な人がでるんだ」

（史郎チャンガイナイノ、ヤダ）

白花はホワイトタイガーに変身するわがままだけど寂しがり屋、ほんとは優しい渚史郎がお気に入りなのだ。

「……っ！　……っ！」

玄輝が無言で足をバタバタさせて、遺憾の意を表明している。

みんなオーガミオーが終了したというのは理解している。これがＴＶ番組で、本当のお話ではないとわかっているのだ。

もしわかっていなかったらどうしようと梓は心配していたのだが、二歳程度でも、案外、現実と虚構の区別はついているのかもしれない。

そういえばふつうの子供は一歳で自分と他者の違いがわかるという。

朱陽、蒼矢、白花、玄輝。この四人は境界を守る四神の子供だ。人間の子供と成長速度は違うと思っていたが、日々きちんと成長しているのだと改めて思う。

自分の幼い頃もこんなだったのかな。

お気に入りの番組が終わった後、ずっとぐずついて母親を困らせていたのかもしれない。

梓は立ち上がって縁側から庭に降りた。

今年は暖かかったせいか、先日現れた花の神様のせいか、桜の開花が早かった。庭の真ん中にある桜の木はもう盛りをすぎて、花びらが地面を白く埋めていた。

桜は別れと出会いの象徴のような花だ。

と、急に陽が蔭った。振り仰ぐと青空の一点に黒い影が見えた。その影はいくつかの点に分かれ、それがたちまち人型になる。

バサバサと翼を振るう音がしたときには、白と黒の法衣を着た天狗たちに囲まれていた。

彼らが羽根を振るうたびに、地面に落ちた桜が舞い上がる。

「示玖真さん」

梓の目の前に立ったのは、高尾に棲む天狗の一五郎坊示玖真だった。

「よう、坊主、元気か？」

「はい、示玖真さんも」

「俺らは年中無休で元気だよ」

示玖真には魔縁天狗を退治してもらったり、コノハナサクヤヒメの恋人が転生した桜を運んでもらったりと、いろいろ世話になっている。

「今日はどうされたんですか？」

梓は示玖真の背後にいる数人の天狗に目を向けた。

「おう、実はな、高尾の山は今ちょうど桜の見頃なんだ。それでチビどもを花見に誘おうと思ってきたんだ」

「花見ですか」

「あー、てんぐのおじたーん」

子供たちがテレビから離れてわらわらと庭に降りてきた。縁側にはいつ降りてもいいように、四人分のサンダルが置いてある。

「よう、四神のガキども、元気か」

「げんきー！」

子供たちはぴょんぴょんと天狗たちの周りを飛び跳ねた。

「みんな、これからおやまに行くかー？」

「いくー！」

「行きたいかー！」

「いきたーい！」

梓は子供たちの中に割って入った。

「いや、そんなクイズ選手権のノリで言われても、なんの準備もしてないのに」

「なに、準備などいらんさ。全部向こうで用意してある」

示玖真はびしっと親指を立てる。

「そうなんですか？」

「うまい酒に食い物、ガキどもには甘いものも、白い飯もある」

「はあ……」

「ほら」

示玖真が合図すると、上からするすると降りてきたのは竹で編んだ大きなかごだ。数人の天狗がそれを縄でぶら下げている。

「これなら子供四人にお前が乗っても平気だ」

「あ、なんか……いろいろと準備がいいんですね」

確かに空を飛んでゆくなら高尾山もそんなに時間はかからないだろう。

「あじゅさ、いこー」

朱陽が梓の服のすそをつかんだ。

「いこー、おはなみ、いこー！」

蒼矢もわめく。

「蒼矢、お花見って知ってるの？」

梓が言うと蒼矢は「えー」と言いながら、くねくねと身をよじらせた。最近蒼矢は自分の知らないことを言われると、このくねくねダンスを始める。両手をあわせて上下に伸びながら腰を振るのだ。

いったいどこで覚えてきたのやら。

「花見は日本人の大事な儀式だ」

示玖真がぐっと拳を握って力説する。

「日本に生まれて花見をしないのは冒涜だ」

「そこまで言いますか」

「花見は日本人の魂、明日への活力、夢と希望だ！」

「どれだけ花見推しなんですか……わかりました、行きますよ」

「よし！」

天狗がこんなに花見好きだとは思わなかった。

梓は子供たちを玄関から前庭に出すと、鍵を締めた。天狗が屋根を越えて竹のかごをおろしてくれる。いつもながら、こんな派手な天狗の行動を近所の人が気づかないのが不思議だ。

子供たちを竹のかごにいれると、自分もその縁をまたいだ。

「準備ＯＫですよ」

「よし、あげろ」

示玖真の合図でかごがゆっくりとあがる。バサリバサリと力強い羽ばたきの音を聞いているうちに、たちまち我が家が小さくなった。

「あ、翡翠さんや紅玉さんに出かけることを言ってない」

心配性の翡翠がまた嫌みをいうかもしれない。

「水精や火精なら、高尾についた時点で呼び出せばいいだろう」

「そうですね」

ぐん、と高度があがった。目の前にサンシャイン60が見える。

それをあっと言うまに飛び越えると、じきに新宿の高層ビル群が見えた。

「はやっ」

「わー、たかいたかいー」

「おそらー」

（空ガクモッテイテモ、太陽ハ輝イテイルー♪）

白花が念話で歌いだした。蒼矢や朱陽もそれにあわせる。

「そうさぼくらのちからあわせてーいのちーもやすだけー♪」

オーガミオーのOPだ。放送が終了してがっかりしていた子供たちに、これはいい気晴らしになるかもしれない、と梓は喜んだ。

一

新宿の高層ビルを飛び越えたらまっすぐ西へと向かう。遥か眼下には、緑が多くなってきた。

「ほら、おやまだ」

目の先にふんわりとピンクのもやがかかっているような山が見えた。

「あれが全部桜ですか」

「そうだ。人間の目でみると花が咲いているのは一部だが、本当は高尾の山は花盛りなんだよ」

天狗は気配を消すのがうまい。真っ昼間に空を飛び回っていても地上の人々には気づかれない。

山も同じように見せたくないものは見せないのかもしれない。

ぐんぐんと桜の森が近づいてきた。

「きれー」

朱陽がかごの縁に掴まってうっとりした声を上げる。

「おいしそー」

蒼矢も別な意味でうっとりしている。最近食べた道明寺(どうみょうじ)を思い出しているのかもしれない。

「おりるぞ」

満開の桜の中にかごが降ろされる。振り仰ぐと空が見えないほどの桜だった。

「うわー……」

生まれてこの方、こんなにもたくさんの桜は見たことがない。前後左右、どこを見ても桜だし、上も桜なら下も花びらで埋め尽くされていた。

「すごいです……」

「人の身でここまできたのは数えるほどしかいねえぞ」

「はい、ありがとうございます」

白花が梓の服のすそをつんつんと引っ張った。

（ひーちゃトこーちゃ、呼バナイノ？）

「あ、そうだね、翡翠さんと紅玉さんも呼んであげようね。こんなすごい桜、みんなと見たら喜ぶよ」

梓はポケットからマッチ箱を取り出した。紅玉を呼ぶときに使う道具だ。

一本とってマッチを箱の側面で擦ると、大きな火があがる。前髪を焼かないように注意しながらそれを地面に放ると、土の上に散らばった桜に火が落ちる前に、炎が人の姿になった。

「お、なんやなんや。すごいねえ」

いつものダウンジャケットの肩や胸から火の粉を払って、紅玉が周りを見回す。

「こんにちは、紅玉さん」

「あー、梓ちゃん。どしたの、これ」

「はい、示玖真さんが子供たちを高尾の花見に誘ってくださったんです」

紅玉は桜の下でせっせと宴会の準備を始めている天狗たちを見やった。

「あーそうなんだ、よかったなー」

紅玉は飛びついてきた朱陽を抱き上げる。

「どや、あーちゃん。こんなお花見るの初めてやろ」

「はじめてー！」

「きれーやな」

「ん、きれーね」

「こーちゃ、こーちゃ！」

足下で蒼矢が跳ねた。両手を伸ばしてだっこをせがむ。

「はいはい、そーちゃんも元気なー」

「げんきー！」

紅玉は朱陽を降ろして蒼矢を抱き上げる。

「そーちゃ？」

蒼矢が自分の鼻を指さす。

「そや、蒼矢ちゃんやから、そーちゃん」

朱陽を指さして「あーちゃ？」と首を傾げる。

「そう、あーちゃん」

「しらなーはしーちゃ？」

「そうそう」

「げーちゃ」

玄輝を指さす。紅玉は笑った。

「げーちゃんはちょぉゴロが悪いなあ。げんちゃんでええかな」

「げんちゃ、」

うんうん、と蒼矢はうなずく。

「じゃあ、翡翠さんも呼び出しましょう。お水がいるんだけど……」

「坊主、これを使え」

示玖真がコップにいれた水をくれた。「ありがとうございます」とそれを受け取って、地面に水を垂(た)らして文様(もんよう)を描く。

最後の一滴がコップから離れた瞬間、水の滴が立ち上がり、人の姿がにじみ出た。

「なんだこれはー！」

翡翠は姿を現した途端、怒鳴った。

「ひ、翡翠さん？」

「さ、酒くさいっ！　これは酒ではないか」

「ええっ！」

梓は慌ててコップを鼻につけた。確かに甘い香りがする。

「お酒だったんだー、しまったー」

「召還(しょうかん)に酒を使うとは！」

「……もったいないことを」

「違うだろ！」

　翡翠はパタパタと自分の体をはたいたり、スーツの袖口のにおいを嗅いで「うっ」となったりしている。

「酒くさい酒くさい酒くさい」

「そんな服のことなんか気にせんで、周りを見ろや」

　紅玉に言われて翡翠は顔を上げた。

「うをっ！　なんだここは」

「今気づいたのかい」

　示玖真が笑いながら声をかけてくる。

「これは、一五郎坊示玖真殿」

　翡翠が折り目正しく挨拶する。

「今日は花見だ、無礼講（ぶれいこう）だ。酒を使ったのは俺のせいだから、まあ許してやってくれや」

「はあ、まあ……示玖真殿がそうおっしゃるのなら」

　翡翠はじろりと梓を見たが、白花がパタパタとやってくるのを見て、とろけるような笑顔になった。

（ひーちゃ）

「おお、白花。そなたは桜よりもかわいらしいな」

（ひーちゃニアゲル）

白花は両手に集めた桜の花びらを翡翠の頭にひらひらとかぶせた。髪の上に花びらが載っているのをみて、くふふ、と笑う。

（オ花キレイ、ひーちゃモキレイ）

「し、白花……」

翡翠が感動に震えている。

「そなたはなんと優しい子なんだ！　私は今モーレツに感動している！」

「……あいつ、イチイチ言動が昭和だよな」

紅玉が梓の耳元でこっそりと囁き、梓は吹き出すのを必死にこらえた。

大きな桜の下で、天狗たちの大宴会が始まった。

樽に入った日本酒やケースで持ち込まれる瓶ビールに缶ビール、ワインのボトルも大量にある。食べ物も寿司に揚げ物、焼き物と豪勢だ。

子供たちは白米とオレンジジュースという、大人の感覚ではどうなの？　と思う組み合わせも楽しんでいるようだった。

だんごやおはぎ、桜餅といった、米系の甘いものもあった。

子供たちは白米が主食なので、お菓子もまず和菓子から、と梓は考えていた。

将来、お友達と一緒に菓子を食べることもあるだろうと、少しずつ様子を見ながら与えているのだ。

今では桜餅や大福が大好きになっている。

天狗たちは五〇人近くいるだろうか？

ほとんどの天狗は白と黒の法衣に身を包んでいるが、中にはふもとの人間と変わらない格好をしているものもいた。

それに女性も多数いる。

「天狗って女性もいるんですね」

梓は隣に座る示玖真に言った。示玖真は升に酒をいれて、それをあおっていた。

「ああ、天狗の家系に生まれるものもいるし、修行は男女の区別はないからな。坊主も修行してみるか？」

と、缶ビールを渡してくれた。

「いや、まあ、ご遠慮いたします……」

梓は曖昧に笑う。自分のような軟弱者には、七回死ぬくらいつらいと言われている天狗の修行は耐えられそうにもない。

「いつもおやまにこれだけいるんですか？」

「いや、ふもとで仕事に就いたり、家庭をもっているものもいるからな。常におやまにいるのは二〇人くらいだ」

「示玖真さんは天狗の家系だったんですか？」

「いや、俺は昔は普通の人間だったよ」

　示玖真はにやりと笑った。

「まだ東京が江戸と呼ばれていた時代にはな」

「そ、そうなんですか」

「これでも昔は武士だったんだよ。ちょんまげ結って刀差して」

「長生きなんですね」

「まあ何回か死んでるからな」

　示玖真の視線は桜の木の下でおいかけっこをしている子供たちに向いている。

「昔は女房も子供もいた……子供はあのくらいだったかなあ」

「どうして天狗になったんですか？」

「……力が欲しかったんだ」

　示玖真は自分の手のひらを広げて見せた。

「人間の力ではかなわない者に、俺は家族を奪われた。怒りと悲しみで俺は狂ってしまった……次々と人を傷つけていた俺を止めたのが高尾の天狗たちだったんだ」

　驚くようなことをさらりと、示玖真は言う。

「俺は俺のような家族を二度と作らないために天狗になった。俺の家族を奪った化け物を探して殺す……そのために天狗になったんだよ」

「示玖真さん――」

　軽く聞いたはずだったのに、返ってきた答えはあまりにも重い。梓は示玖真の強く厳しい思いに、応える言葉もなかった。

「子供はいいな、坊主」

　示玖真は目を細める。

「俺はあまりいい父親じゃなかったが、それでも子供は大事だった。俺の宝だった。お前の父御（ちちご）はどうだ？　お前を大切にしてくれるか？」

「お、俺は――」

　梓は目をそむけた。

「父親の記憶はあまりないんです。小学校に上がる前に病気で亡くなったので」

「……そうだったのか、すまねえ」

　示玖真がちょっとうろたえた顔をする。それに梓は笑みを作って首を振った。

「いいんです、その分、母親が大切にしてくれましたから。それに記憶がないからたいして悲しくもないし……父親ってどんなものなのか、よくわからないんです」

　示玖真が梓にぐっと顔を近づけた。

「父御はきっとお前を大事に思っていた。俺が請け負う。子供の成長を見られずに死んで、きっと悔しかっただろうな……」

「そうですか、ね」

「俺にはわかるよ」

　父を失った人間と、子供を失った天狗が桜の下で酒を飲んでいる。

「俺の父親も輪廻の輪に入って、どこかに転生してるんですかね」

「ああ、たぶんな」

「……そうか。どこかにいるのか……」

　父親と花見をしたかったな、と梓は思った。

　そのとき、ズシン、と地面が揺れた。あわてて周囲を見回すと、桜の木々の上に巨大な真っ赤な顔が覗いている。

「うわっ!」

　思わず尻をつけたままあとずさった。

　桜の木々がまるで花の茎のように身を避け、その巨体を通す。

「大天狗、内供坊様だ」

　示玖真がさっとあぐらを正座に直した。ほかの天狗たちもいっせいに姿勢を正す。梓も慌てて正座した。

「みな、楽しくやっておるか?」

大天狗内供坊は、まさに天狗だった。絵に描いたような、と言っていい。大きな鼻、赤い肌、ぎょろりと光る目、長くうねる髪。右手には巨大な羽根で出来たうちわをもっている。あんな大きな鳥は存在するのだろうか？

子供たちは団子や白米を口にいれたまま、ぽかんとその大きな天狗を見上げていた。

内供坊は座を見回して、梓と四人の子供たちに目をとめた。

「それが新しい四神の子か。それが人間の仮親か」

桜の花が散ってしまうのではないかと思えるくらいの大音声だ。

「羽鳥梓にございます、内供坊さま」

示玖真が梓を見やって言う。梓は頭を下げた。

「お主には魔縁天狗のことで何度も迷惑をかけたと聞いておる。許せよ」

内供坊は大きな鼻をわずかに下に向けた。

「最近外道どもの動きがなぜか活発じゃ。我らは外道どもの邪念からこの国を守るために励んでおる。四神はこの国の守りの要。そなたは命をかけて四神子を守るのじゃ」

「は、はい」

ビリビリと空気を振るわすほどの威圧感に、梓は思わず地面に手をついて頭を下げた。

「だめーっ！」

甲高い声がして、梓の前に小さな足が現れた。子供たちだ。

「あじゅさ、いじめちゃだめー！」

「あっちいけ、かいじゅー！」

朱陽と蒼矢が叫んでいる。白花も拳を握って内供坊を睨み、玄輝はすでに玄武の姿をとっていた。

「朱陽、蒼矢、だめ！　白花、玄輝も！　俺はいじめられているんじゃないから！」

梓はあわてて子供たちを腕の中に抱きこんだ。

「内供坊さまはご挨拶にきてくださっただけだよ、大丈夫だから」

「だいじょぶ？」

（ホント？）

「本当だよ、だからみんな落ち着いて」

朱陽は梓の腕の中で、きっと大天狗を見上げた。

「ごあいさちゅは、こんにちはーっていうのよ！」

びしっと人差し指をつきつけられた大天狗は、一瞬きょとんとした顔をした。だが、次の瞬間には、大きくのけぞった。

「うわぁっはぁっはぁっはぁっ！」

山全体が揺れ動くかと思われるほどの声だった。

「わぁはっはっはっはぁ！」

「う、内供坊さまの天狗笑いだ」

地面に伏せて示玖真が叫んだ。

地面は波うつように激しく揺れ、桜が踊るように枝や幹をしならせる。激しく花びらが舞い散った。

「わ、笑い？」

たしかによく聞けば笑い声のようにも聞こえる。だが、大きすぎて人の声のようには聞こえなかった。

「はっはっはあ……はあ……何百年ぶりかで大笑いしたぞ」

内供坊は腹をかかえ、苦しそうに言った。

「こんな幼い子供に挨拶を教えられようとはな。いや、しかし確かに挨拶はこんにちはからじゃな。初対面じゃったのに、いきなり頭から言い過ぎた」

内供坊はゆっくりと膝をつき、梓の前に大きな体を屈めた。梓は子供たちを両腕に抱えて地面に転がったままだ。

「許してくれよ。魔縁のためにこのところ天狗たちの出動が多くなり苛(いら)ついておった。頭ごなしじゃったのう」

「い、いいえ、そんな。こちらこそ、子供たちが失礼なことを」

梓はなんとか体勢を立て直し、大天狗の前に膝をそろえた。

「子供たちは俺が命をかけても守ります。これからもどうかよろしくお願いします」

「うむ」

大天狗は梓の体にしがみついて怯えた顔をしている子供たちに優しい目を向けた。

「怖がらせてしもうたかの。じじいを許しておくれ」

そう言うと大天狗は右手に持った大きなうちわをさっと振った。すると周りの桜と子供たちの体、それに梓の体がふわりと空中に浮かんだ。

「わあっ！」

子供たちはピンクの桜の海の中でばたばたと手足を動かした。

「あじゅさー、とんでりゅのー」

きゃはは、と蒼矢が笑う。梓は自分に向かって飛んでくる子供たちを受け止めた。

「羽鳥梓。しっかりと子供たちを育てているようじゃ。これからも頼むぞ」

桜の花の陰に大天狗の姿が消える。やがて、無数の桜の花びらが地面に舞い降りたときには、もう内供坊はいなかった。

二

「よし、宴会の続きだ！」

示玖真が大きな升（ます）に酒をいれて立ち上がる。おーっと天狗たちが盛り上がった。

「羽鳥梓、ひやひやしたぞ」

翡翠が手と膝をついて、ヨタヨタとした動きで梓のそばにきた。

「高尾の内供坊さまはかなり短気な方だと聞いていたからな。お前の返答しだいではどうなるかと」

「いや、俺は圧倒されて何も言えませんでしたよ」

「そうだな、言ったのは朱陽だ。朱陽がお前を助けたのだ。子供らに感謝しろ」

白皙（はくせき）の端正な翡翠の頬がうっすらと赤くなっている。やはり酒で呼び出したのがまずかったか。

いや、翡翠の右手には缶ビールが握られている。きっと飲んでいるのだ。

「おいおい、せっかくの花見だ。スーツを着ているんなら花見の作法に従え」

示玖真がどかりと翡翠の隣に座る。

「花見の作法とはなんだ？」

「知らんのか？　これはな、スーツを着ているものは必ずやるべきことなのだ。お前はその栄えある栄誉に預かれるんだぞ、喜べ」

「ど、どうすればよいのだ？」

「うむ、まず上着を脱いで、ネクタイもとれ」

「あ、ああ」

「そしたらそのネクタイをな、こうしてこうして……こうだ！」

「……！」

花見の席に、頭にネクタイを巻いた酔っぱらいのサラリーマンが出現した。

「ひ、翡翠さん」

示玖真の暴挙をあっけにとられて見ていた梓は、翡翠が怒り出すのではないかと心配した。

だが、翡翠はビールをぐいっとあおると、いきなり笑いだした。

「いいな、これが花見の作法か！」

「そうだ、花見の作法だ！」

わははと肩を叩いて笑いあっている。ただの酔っぱらいのオヤジだ。

酒も食べ物もあとからあとからどんどん出される。天狗たちはいくつかの輪に別れて歌を歌い出すもの、踊り出すもの、相撲をとりはじめるものなども出てきた。

「桜って一種の結界みたいですよね」

そんな彼らを見ていた梓は示玖真に呟いた。

「結界？　なぜそう思う」

「桜が咲くと、そこが急に非日常に変わってしまう感じがするんです。風景もそうだし、人も……。こう、はめを外してもいい、みたいな感じになって」

「ああ、そうかもしれんな」

示玖真は踊っている仲間たちを見つめた。

「結界か。うまいことを言うな。実際桜には魔力があると、俺も思う」

どこまでも続く桜の森。

「桜の下では時々妙なことも起こる。鬼も棲むと言うしな」

「鬼？　負の念から生まれるというアレですか？」

「そういうんじゃねえ。いや、そういうのもいるんだろうが、なにかな、桜の持つ力の象徴というものかな」

示玖真は人指し指で自分のこめかみを叩きながらむずかしい顔をした。

「桜の神様じゃないんですか？」

「いや、それともまた違う。桜はさ、きれいじゃねえか」

示玖真は周りを取り囲む桜に目をやり、軽くため息をついた。

「きれいすぎるだろ。だけどきれいきれいって思うのは人間だ。その人間の思いはいろんな想像力をかきたてる。きれいなのは死体が埋まってるからじゃねえか、鬼がいるからじゃねえか。そういう力なんだよ、桜の力ってのは」

「わかるような気がします……」

人がいなければ桜はただ桜として在るだろう。桜を特別なものにするのは人間なのだ。

「桜鬼、桜闇、桜吹雪、夢見草、花疲れ、……桜にまつわる言葉は美しいもの、不吉なものいろいろだ。言葉は呪だ。こんなにもたくさんの呪に縛られた花は他にはねえよ」

示玖真はグビリと酒を飲んだ。

ふと気づくと玄輝は紅玉の膝を枕に寝てしまっている。そばで白花も丸くなっていた。

朱陽と蒼矢はどうかと見ると、やはり眠そうな顔をしていた。いつもならお昼寝の時間なのだ。

「朱陽、蒼矢、眠っていいんだよ」

「やーよ」

「もっとあそぶー」

朱陽と蒼矢が左右からしがみついてくる。

「じゃあちょっとお散歩に行こうか。眠くなったら言ってね」

　梓はそっと宴の席を立った。


　桜の森はどこまでいっても桜だ。しかしその桜も白っぽいのや濃い色、黄色っぽいもの、八重やしだれと様々だ。

　少し行くと天狗たちの姿が見えなくなった。しかし、宴会の音はまだ聞こえる。あの楽しげな音が聞こえているうちは迷いもしないだろう。

　梓は右手に朱陽、左手に蒼矢をぶらさげていた。

「あじゅさー」

　桜を見上げていた朱陽が呟く。

「ここどぉこ？」

「ん？　高尾のお山だよ」

「ふぅん」

　霞か雲のように続く桜。本当にここは現実の高尾山なのだろうか？　答えながら梓は不安になる。

　いや、宴会の声はまだ聞こえる。ほら、大勢が笑ったり叫んだりしている声。何かを呼びかけ、応えている声。さざ波のように、寄せて返して大きくなったり小さくなったり。

わあっと不意に声が響いた。声は前方からしている。桜の木々の間に大勢の人の姿が見えた。

天狗たちの白と黒の法衣ではない。もっといろいろな色。白っぽい狩衣、胴を守る鹿皮(しかがわ)の腹巻、頭には烏帽子(えぼし)……え？

なんだ、あれは。歴史の教科書で見るような、鎌倉時代の武者のような姿だ。

梓はぽかんと目の前の光景を観ていた。

十数人の鎧武者(よろいむしゃ)たちが走っている。その先には薄衣をかぶった着物姿の女性と子供がいた。追われているのだ。

女性が地面にしゃがみこんだ。手元でキラリと光っているのは小刀だ。あの刀で武者たちに抵抗しようとしているのか。

「ちがう……」

梓は息を飲んだ。女性はその小刀で子供を刺そうとしていた。

「だめだ、やめろ！」

思わず叫んでいた。その声に女性と武者たちが振り向く。

「しま……っ」

口を手で抑えたがもう遅い。武者たちが数人、こちらへ駆けてくる。他の男たちは女性のもとへ走った。

「ど、どうしよう」

うろたえる梓の手がぎゅっと握られる。朱陽と蒼矢が梓を見上げていた。

「だいじょぶよー」

「やっちゅける！」

朱陽が右手を、蒼矢が左手を挙げる。その手のひらが淡く輝いた。

とたんに走ってきた武者たちが弾かれたようにひっくり返った。

二人が周辺に結界を張ったのだ。

「朱陽、蒼矢、そのまま続けて」

梓は二人の手を引いて、うずくまっている女性に向かって駆けだした。女性の周辺にも結界が張られているらしく、武者たちがその周りで右往左往している。刀で斬りつけたり、弓矢を放ったりしているが、梓にも女性にも触れはしない。

「大丈夫ですか！」

すぐそばまで行って驚く。とても美しい人だったからだ。薄衣の下には長い打ち掛け、小袖に袴……お雛さまのような着物を着ていた。

そして彼女の抱いている子供もかわいらしかった。朱陽たちより幼いが、髪をみずらに結い、狩衣を着ている。きょとんとした顔をして、自分が今どういう目に遭おうとしたか、わかっていないようだった。

　武者たちは自分たちの武器がきかないことに恐怖したようで、逃げていった。

「あ、あなたさまは神様でございますか」

　女性は怯えた目で梓を見上げた。

「あ、いえ、俺はただの人間です」

　神様はとなりでにこにこしている子供たちの方だ。

「あえびはねー、しゅざくなのー」

「そーやはせーりゅー」

　二人は女性の抱いている子供に手を振った。子供がきゃっきゃと笑う。

　この女性の姿といい、さっきの武者たちといい、まるでタイムスリップしてしまったような気がする……。

「ありがとうございます。この子を殺してわたくしも死のうと思っておりました」

「だめですよ、そんな！」

　思わず強くいう。女性はびくっと身をすくめて子供を抱きしめた。

「も、もうしわけございません……」

「いや、その……どうしてこんなところにいらしたんですか？」

「花見に参ったのです。それがあの武者たちに襲われ、みな散り散りになってしまいました……殿はいったいどうなさったことやら」

「そうだったんですか、あの、よかったら一緒にお仲間を探しましょう」

「あ、ありがとうございます」

梓は手を差し出したが、女性はその手を取らずに立ち上がった。

「こんな山の中まで花見にくるのは大変だったでしょう」

「ええ、でも毎年のことでございますから」

「毎年高尾へ？」

「たかお？　ここは吉野ではございませんか」

梓は目を見開き女性を見た。

「よしの？」

ここはいったいどこだ？　時代だけではなく、場所まで違うのか？

桜のせいか？　桜が自分たちを迷わせているのか。

ふたたび背後から大勢の声が聞こえてきた。さっきの武者たちが戻ってきたかと振り向いた梓は、目をむいた。

そこは戦場だった。

着物を着た侍らしき集団と、学制服に陣笠という奇妙な格好をした集団が戦っている。

互いに剣や鉄砲と呼ばれるべき長い銃を振り回し、殺しあっている。

「た、大変だ、逃げなきゃ！」

とにかく子供たちと女性を逃がそうとしたが、そこにいるのは朱陽と蒼矢だけだった。

「あ、朱陽、蒼矢！　さっきの人は⁉」

聞いても二人とも首を傾げている。まるで最初からそんな人はいなかったみたいに。

目の前の戦場はますます勢いが激しくなっている。ときおり大きな爆発音と一緒に土がめくれあがった。

侍側の方が劣勢（れっせい）だった。彼らは「彰」とかかれた旗をたてていた。攻める学制服の中に赤い大きなたてがみをつけ、金ぴかの袖なし羽織（はおり）を着ているものがいる。

「あれって……見たことがある、こないだの大河ドラマ……」

幕末、上野の山を血に染めた戦いがなかったか？

「じゃあここは上野？　どうして……」

「きさまっ！　きさまも薩摩（さつま）か！」

顔中を血に染めた侍が、やはり血塗（ちまみ）れの刀を持って立っている。

「ちがいます！　俺は関係ないです！」

梓は子供たちを背中に隠して首を振った。

「こんな場所に子連れでなにをしている！　戦いにきたわけではないのなら、さっさと逃げろ！」

「は、はいっ」

恐ろしい顔をしているが、悪い人ではないようだった。梓は両脇に朱陽と蒼矢を抱え逃げようとした。

「お主の子か」

ふと、侍の声が優しくなった。

「よい子じゃ。この国をつくるのはそういう子供たちじゃ」

侍は行け、というように手を振る。梓は走り出した。

その途端、ドォン！　と大きな音が響き、振動で転んでしまった。振り返ると、地面に大きな穴が空き、さっきの侍が血塗れで倒れていた。

「ああぁっ！」

桜の枝の間から、丸く大きな弾が飛んでくるのが見えた。

「朱陽！　蒼矢！」

梓の声に二人が手を挙げる。まぶしい光が三人を包んだ……。

「あじゅさ、あじゅさ」

肩を揺り動かされる。はっと顔を上げると、そこはただ桜が降りしきる静かな場所だった。

「こ、ここは……、また移動したのか？」

当たりを見回すと、桜の向こうに瓦屋根の建物がいくつか見えた。

「あじゅさ、ひこーき」

蒼矢がうれしそうに言って空を指さした。

花の間に飛行機の黒い影が飛んでいくのが見えた。

「飛行機……」

では時代は戻ったのか。もうあんな悲惨な戦場を見なくてもいいのか。

飛行機の影がぐんぐん大きくなってきた。ずいぶん低いところを飛ぶんだな、と梓はぼんやり思った。

「なにしてるの！　あぶない！」

悲鳴が背後であがり、ぐいっと腕を引かれる。大きな桜の根本に、梓と蒼矢、それに朱陽はひっくりかえった。

その足先に、土が跳ね上がる。バリバリバリッと耳がつぶれるような音がした。

目の前に、ブラウスにモンペ姿の女性がいる。頭にかぶっているのは防空頭巾（ぼうくうずきん）と呼ばれるものだ。

「死にたいの⁉」

「……え？」

わけがわからず女性の顔を見上げる梓に、彼女は厳しい顔をした。

「子供がいるんだからしっかりしなさい！　今は非常時なのよ！」

ブゥーンと耳に再び飛行機の音。

「ひこーきっ！」

蒼矢がはしゃいで桜の下から出ていこうとする。

「だめっ！」

女性が蒼矢を抱え込んで転がる。再び土が一列にはねあがる。

「なんなんだ、これは……」

梓は桜を見上げた。桜は花びらを散らし続ける。

「なにをしたいんだ！　俺に何を見せたいんだ！　桜の記憶なのか、それともこれは夢なのか！」

その花びらが燃え上がる。

桜は両腕を広げ、身をねじるように炎の中で揺れていた。

いつの間にか周りは炎で囲まれていた。火の海だ。

「あじゅさ……」

朱陽の暖かな手が梓の手をぎゅっと握る。反対側の手も蒼矢の力で握られる。

「帰りたい……もうこんなのはいやだ……」

ゴオッと桜の炎が巻きあがる。目の前があまりに熱く、梓は瞼を閉ざした……。

三

ざわざわと、人の話し声がする。穏やかで楽しそうな声に梓はおそるおそる目を開けた。

目の前にはやはり桜が広がり、その木の下に人々が車座（くるまざ）になっていた。

服装は現代のものだ。穏やかで楽しげで、ごく普通の花見のようだ。

「戻った……のか？」

梓は周りを見回した。「あれ？」と声が出る。どこか懐かしい光景だったからだ。

「ここ……俺、知ってる？」

桜の向こうに鉄塔が見える。確かに見覚えがあった。

「ここって……まさか……福井（ふくい）の足羽山（アスハヤマ）公園じゃないのか？」

福井の人間なら誰でも一度はきたことがある。子供のイベントの定番の場所。

遠足や写生会、友達と遊んだり、デートコースだったり、喧嘩して泣きながら走ったり、肩を組んで笑いあったり。

山全体が公園になっていて、小さな動物園やアスレチック遊具などもある。そしてなにより三千本以上の桜が咲き誇る美しい公園だ。

「あずさ」

誰かに名を呼ばれたような気がして梓は振り向いた。

そこには家族らしき人たちがいた。ビニールシートの上に若いお父さんにお母さん、それに小さな子供。お弁当を広げて談笑している。

笑っているその母親に見覚えがあった。

「お、かあさん……？」

それは、若いけれど、確かに自分の母親だった。

「じゃあ……」

隣に座る男の人は。

「お、と、ぅ……」

顔は写真でしか覚えていない。その父親が。

目の前にいる（生きてる）。

笑ってる（写真でしか見たことがない）。

話をしている（声は忘れてしまった）。

小さな自分をあやしている（抱き上げられたことも忘れた）。

「おとぅさん……」

父親のことはよく覚えていない。優しかった印象しかない。その父が。

「……」

若い父親は立ち尽くしている梓に気づいたのか、顔を上げ、軽く会釈した。梓はぴくりとも動けなかった。

「ああ、ほら、あずさ。だめよ」

母親が、幼い梓が水筒を倒そうとしたのを止める。

「あじゅさ？」

蒼矢がその名前に反応した。

「あじゅさー、なー」

幼い梓を指さす。母親は気づいて蒼矢に笑いかけた。

「そうよ、この子、あずさっていうのよ。こんにちは？」

「こにちわー！」

蒼矢が元気よく挨拶する。

「こんちゃー！」

朱陽も両手を挙げた。

「あらあら、元気ねー」

母親と父親が笑った。幼い梓は恥ずかしがって母親の影に隠れた。

「あじゅさ、なー、おんなじねー」

朱陽が梓の手を引っ張る。梓ははっと我に返った。

「あ、あの、すみません、おじゃまして」

ようやく声を出すことができた。のどがひりつくような気がした。

「あら、いいのよ。そちらもお花見?」

母親が人なつこく声をかけてくる。そうだ、彼女はそういう人だった。

「は、はい。あの、実は俺も……梓っていうんです」

「へえ」

父親が驚いた顔をした。

「珍しいな。梓って名前の男の子はいないと思ったんだけど」

なあ、と母親と顔を見合わせる。

「は、はい。……父が名付けてくれて」

梓は潤みそうな目を見張って若い父親を見た。

「あ、あの、どうして……梓ってつけたんですか?」

「え、ああ……」

若い父親は照れたように笑う。

「梓っていうのはしなやかで丈夫な木だって聞いたんだ。だからこの子も、どんな風や嵐にあってもへこたれずにまっすぐ育ってくれるといいなって」

そうだったのか、と梓は思う。名前は父親がつけたと母から聞いていた。だがその意味までは教えてもらわなかった。

小学生のときは、女みたいな名前だとからかわれて、こんな名前はいやだと思っていたのだが……父は考えてくれていたのだ、自分のことを。

——父御はきっとお前を大事に思っていた……子供の成長を見られずに死んで、きっと悔しかっただろうな——

示玖真の言葉が脳裏によみがえった。

「あ、あの、俺、大学卒業したんです！」

梓は父親に叫んだ。

「へえ、それはおめでとう」

父親は笑った。笑顔、笑顔だ。胸がいっぱいになった。父親に言いたいことがたくさんあった。

「しゅ、就職もしたんです」

「そりゃあよかったじゃないか」

成長を伝えたい。あなたが見ることができなかった、大人になった自分を。

「普通の企業とかじゃないけど……お、俺、がんばってます。がんばっているんです！」

「そうなんだ……立派だね。……」

はらはらと桜が父親の顔に降る。その花影で、父の笑顔が霞んで見える。小さな声が聞こえた。

「よかったね……えらかったね……あずさ……」

「お、おとうさん……」

――花が。

――桜が。

あまりにもたくさんの花びらが。

父親を隠してしまう。消してしまう。

「おとうさん！　おとうさん！」

梓は叫んだ。桜の中に駆け込んだ。

「おとうさん！　俺、大きくなっただろう！　俺、大人になったんだよ、おとうさん！」

桜の風が強すぎて。

「おとうさーん！」

目の前は淡い桜色でいっぱいだ。

「おとうさん……」

「……あじゅさ……」

優しい声がする。髪にそっと触れる感触。

地面に膝をつき、ぼろぼろと涙をこぼしている梓の頭を、朱陽と蒼矢がかわるがわる撫でる。

「あじゅさ、なかないで」

「あじゅさ、いいこいいこよー」

子供たちが心配そうに見上げていた。子供にこんな顔をさせて、なにが大人だ。梓は鼻をすすり、呼吸を整えて、涙を止めようとした。

「ごめん……もう大丈夫だよ」

梓は目をこすって二人を見返した。赤い目で笑ってやると、二人とも梓にしがみついてきた。

（あじゅさー）

頭の中で声がする。これは白花の念話だ。

（白花？）

顔を上げると向こうから白花と玄輝が走ってくるのが見えた。その後ろから翡翠と紅玉、それに示玖真の姿も見える。

（ああ……高尾のおやまに戻ったんだ……）

桜が、恐ろしい力を持つ桜が、自分たちの時間と空間をねじまげ、飛ばしたのか。今までのことは夢だったのか。

吉野の山で武者に追われた女性も、上野の山で官軍と戦った彰義隊の侍も、B29に蹂躙された町も、足羽山公園の父も。

いや、夢じゃない。

(おとうさんに会えた)

会って、報告できた。自分はがんばっていると。そして褒めてもらえた。

ほんの数分、ほんのふたこと三言。

(じゅうぶんだ)

父親は膵臓ガンだった。真面目で我慢強い性格が災いして、痛みはあっただろうに耐えていたのだ。

ある日職場で倒れてそのまま入院。検査した医師はもう手の施しようがないと言ったそうだ。

父親の意識は戻らず、梓が病院に行って会うこともできないまま亡くなった。

父親がいなくなってから、部屋の電気が暗くなったような気がした。

いつもどこか欠けたような日常。葬式にも出席したが、梓はあまりにも幼かったので、
父親の死が実感できなかった。父親は病院に行ったまま戻ってこないだけだと思っていた。

「おかあさん、おとうさんはいつ帰ってくるの？」

あれはいつだっただろう。父親が死んで一カ月はたったころだろうか。夕食の支度をしている母親の背中にそう聞いた。ガタンとまな板が流し台に落ちる大きな音がした。

母親の身体が崩れ、彼女は流しにすがったまま大声で泣きだしたのだ。

梓は驚いた。自分がなにかとんでもない失敗をしたと思った。

怖くなって梓は泣いた。そして父親のことは言ってはいけないのだと思った。

父親が死んだとわかったのはいつとは、はっきり言えない。欠けた日常に慣れ、父親の不在に慣れ、そういうのが父親の死だとぼんやり自覚していった。

いつもと同じ日々が続くと思っていた。今日は昨日の続きで、明日は今日の続き。その中で父親が不意に消えた。楽しかったことも、悲しかったことも、その時から薄れだし、いつしか消えていた。

父親も同じ日々を過ごしていたはずだ。昨日と今日と明日と。いつも変わらない日々だと思っていたのだろう。

穏やかな優しい笑み、明るい声。

いきなり失われるまでいつもそばにあったのだ。どうして忘れてしまっていたのだろう。

「おとうさん、ありがとう……」

（あじゅさ！）

「……っ」

白花と玄輝が梓に飛びついてきた。

「いやー、探したで、梓ちゃん」

追いついた紅玉がはあはあ言いながら膝に手を置く。

「白花が急に梓ちゃんや朱陽がいなくなったって言い出して……玄輝まで目を覚まして走り出すんだから」

「そうか。大丈夫だよ、白花、玄輝」

梓は首にしがみついている白花と玄輝の髪を撫でた。白花は大きな目を涙で潤ませ、玄輝は両足でじたばたと地面を蹴った。

「どうしたのだ、羽鳥梓。朱陽や蒼矢をどこに連れていくつもりだったのだ」

翡翠が厳しい調子で言う。梓は首を振った。

「すみません……ちょっと迷子になっただけなんです」

「馬鹿者、子供らを不安にさせるな」

(ひーちゃ、あじゅさイジメル、ダメ)

きっと白花が翡翠を睨む。途端に翡翠はうろたえた。

「わたしは梓をいじめているわけでは決してない、ただ注意を……」

(アッチイッテ)

「そ、そんな、白花……」

「ええからええから。ほら、とっとと戻ろう」

紅玉が翡翠の襟首を掴んでひっぱった。翡翠は「しらはなー」とわめきながら引きずられてゆく。

「ごめんね、ありがとう。朱陽、蒼矢、白花、玄輝……」

梓はゆっくりと立ち上がった。

「みんなのところへ帰ろうね……」

周りを見渡す。空気までが桜色に染まる高尾の山。怖くて不思議で悲しくて嬉しい経験をした。

「大丈夫か、坊主。桜の気に当てられたか？」

示玖真がまゆをひそめる。

「示玖真さん……俺、父親に会いました」

「え？」

「桜が俺を……父親に会わせてくれたんです。大きくなった俺を……見せることができました」

「……」

示玖真はふっと優しく笑った。

「そうか、よかったな」

「はい」

梓はもう一度、一面の桜をぐるりと見回した。

「花見につれてきてくださって、ありがとうございました」

終

花にまみれた一日が終わり、梓と子供たちは天狗に家まで送ってもらった。

鍵を開けると朱陽、蒼矢、白花、玄輝の順で飛び込んでゆく。ガランとした家の中に向かって「ただいま！」という声が響いた。

靴を脱ぐ前に四人が梓を振り返る。

「おかえり」

梓がそう言うと、満足そうにうなずいて廊下にあがった。

「……ただいま」

梓も呟いてみる。

父親が亡くなってから母親は働き始め、鍵っ子になった梓はそれから「ただいま」と言った覚えがない。

だけど今は。

「おかえりー」

「おきゃーりー」

（オカエリナサイ）

「……」

四人の子供たちが廊下に立ってそう言ってくれる。

「さあ、手を洗ってうがいして」

「はーい」

子供たちは我先にと洗面所に走った。

靴を脱ごうとかがんだとき、ひらりと足元に淡い色が落ちた。桜の花びらだ。

高尾の山からついてきたのか。

梓はそれを拾い上げた。

家に入って縁側のガラス戸を開ける。庭はもう薄暗くなっていた。

梓は指先の桜の花びらに、ふっと息を吹きかけた。

花びらはふわりと舞い上がり、くるくると回って地面に落ちた。

地面はたくさんの花びらで埋めつくされている。落ちた花びらはもうどこへ行ったのかわからない。

梓はガラス戸を閉め、カーテンを引いた。

「あじゅさー」

子供たちが呼ぶ。

「はーい」

梓は返事をして、彼らの待つ部屋へ戻って行った。

第二話 神子たち、ホットケーキを食す

序

「あじゅさー！　ほとけきー、つくっちぇー」

蒼矢が駆けてきてベンチの梓にダイビングした。どすんと頭突きをまともに腹にくらい、梓は「うっ」と呻いた。

「ねー、あじゅさ！　ほとけき！」

「ほ、ほとけき……？　ほとけきって、なに……」

蒼矢の後ろからマドナちゃんママが笑いながらやってくる。腕にはマドナちゃんを抱いていた。

「ホットケーキよ、梓ちゃん」

「あ、ああ。ホットケーキですか……」

蒼矢は梓の膝にまたがると、服の胸をつかんでがくがくと揺すった。

「ほとけき！　ほとけき！　ほとけき！」

「ちょ、ちょっと待って、蒼矢。いったいなんでそんな話しになってるの」

「蒼矢ちゃん、ホットケーキ知らないんですって？」

マドナちゃんママが梓のとなりに座る。

「え……。ああ、そういえば作ったことないなあ」

「さっきマドナが昨日ホットケーキを食べたって話をしたみたいなの。それでいろいろ聞かれて……もしかして梓ちゃん、蒼矢ちゃんは小麦アレルギーとかあるの？」

「いえ、そういうのはないと思うんですけど」

今まで食べ物で困ったのは、最初にミルクを飲まなかった騒ぎがあっただけだ。

「そう。小麦アレルギーで食べてないのかと思ったんだけど、よかったわ、そういうんじゃなくて」

「ホットケーキかあ……」

そういえば梓も子供の頃、母親にホットケーキを作ってもらった思い出がある。あれは一種のイベントのようだった。

普段背を向けて料理している母親が、ホットケーキのときだけは同じテーブルで作ってくれた。ホットプレートの上にクリーム色が丸く広がる。それがぷつぷつ穴があいて、ひっくり返すと茶色く焦げている。

部屋中が甘い香りになった。

「そっかあ……ホットケーキかあ……」

今まで甘いものは、果実や自然な野菜の甘み、あとは餅菓子や和菓子しか食べさせてこなかった。小麦やバターを使ったものをついに食べさせるときがきたのかもしれない。

「そうだね。じゃあ今日のお昼ご飯はホットケーキにしようか」

「わあっ！」

蒼矢は梓の膝から飛び下りると、砂場に駆けて行った。そこで遊んでいる白花や朱陽に教えるつもりらしい。

「ホットケーキってなんか箱になってましたよね？」

梓が聞くとマドナちゃんママはうなずいた。

「あとは牛乳に卵にバター。シロップはメーカーによっては入っていないものがあるから、その場合は別にメープルシロップなんかを買わないといけないわね。あ、ジャムや生クリームでもいいのよ」

「ありがとうございます。ホットケーキの粉なんて自分じゃ買わないから……」

「男の子はそうかもねえ。あと、うちの子はケチャップやマヨネーズをかけるのも好きよ」

「えっ、ホットケーキにケチャップですか⁉」

梓は驚いた。マドナちゃんママは笑いながら、

「その場合、ホットケーキは薄目に焼いてハムやレタスをはさむの。あまじょっぱいのが好きらしいのよ」

「あ、そうか。アメリカンドックみたいなもんですね」

あれなら梓も好きだ。ホットケーキと考えるとケチャップなんてミスマッチな感じがするが、視点を変えれば充分アリだ。

「あじゅさー」

蒼矢、白花、朱陽が走ってくる。

「ほとけきーってなに？」

「はやく！　はやく！」

（ほとけーき、タベタイ）

三人が梓の周りにぶらさがった。

「わかったわかった。じゃあ玄輝呼んできて。これからうちに戻ってホットケーキの準備するから」

「あーい！」

蒼矢がダッシュで玄輝のいるジャングルジムに走る。玄輝はジャングルジムの下の段で、なにがおもしろいのかずっとぶらぶらと逆さになっている。

「じゃあがんばってね」

マドナちゃんママに励まされ、梓は「はい！」と拳を握った。

「いよいよホットケーキデビューかあ……」

―

「神子たちにホットケーキを食べさせるだとお？」

呼び出した翡翠と紅玉に相談すると、翡翠には顔をしかめられてしまった。

「別にええんやない？　この先もみんなが人間の世界で暮らすこと考えたら、食べ物の幅は広がったほうがええやろ」

「それはそうなんだが……ホットケーキはかなり甘いだろう？」

翡翠は腕を組む。

「神子たちが虫歯にならないだろうか？」

「歯磨きはちゃんとさせてますし……そもそも神様に虫歯って存在するんですか？」

「人間の姿をしているからな。身体の機能は人間とほぼ同じなのだ。ウンチやおしっこ自体は天に召しあげているから存在しないが、内臓もちゃんと作られているはずだ。だから虫歯だって存在するだろう」

「そうなんですか」

ほお、と感心する。

「私は子供たちにあの恐ろしい歯医者の体験はさせたくない」

翡翠はその端正な顔をゆがめて苦しげに息を吐いた。

「まあ、確かに……喜んで歯医者に行く子供はあまりいないでしょうけど」

「白花があの拷問器具のような椅子に座らされて口を開けさせられると思っただけで……朱陽がドリルで歯を削られるのかと考えただけで……蒼矢が虫歯の穴にアマルガムを詰められる姿を思い浮かべただけで……玄輝がやっとこで歯を抜かれると想像しただけで……私の心臓は潰れそうだ」

胸の当たりを掴んだ翡翠は、ぶるぶると震えてかがみ込んでしまった。

心臓もあるんだ。というか、歯医者のイメージが古い。

「でもなあ、翡翠。想像してみい、ホットケーキを食べて喜ぶ四神子の姿を。きっととても喜んでくれるで？　子供らの喜んでる顔、見とうない？」

「……う、それは……」

「お前だって甘いものは好きやろ？　ひよ子とかカステラとかよう食べとるやない」

「まあ……そうだが」

簡単に籠絡(ろうらく)されそうな翡翠にここぞとばかり、紅玉がたたき込む。

「子供らの世界がまた大きく広がるんや。ホットケーキのひとつやふたつ、食べさせてやりいな、翡翠。みんなを喜ばしたれ」

「わかった」

翡翠は顔をあげた。悲壮な決意をみなぎらせた表情で。

「ちょっと大阪に行ってくる」

「はあ?」

「大阪の歯神社にいってなで石を貰ってくる。あの石があれば虫歯になることもあるまい」

そう言うとたちまち翡翠の輪郭がにじみ出した。紅玉が驚いてその腕をひっぱる。

「だ、だめやぼけぇ! 御神体もってきたらお参りの人たちが困るやろうが!」

「参拝者より四神子の歯の方が大事だ」

「公私混同や!」

紅玉の必死の説得により、翡翠は大阪に行くことをあきらめたようだ。いきなり御神体がなくなれば神社の人たちだって困るだろう。

紅玉の話によると、大阪にあるという歯神社は、もともと農耕の神を祭っていたのだが、淀川(よどがわ)が氾濫(はんらん)した折り、御神体の巨石が歯止めして農民たちを守ったといういわれがあるそうだ。

その歯止めから「歯の痛みを止める」という歯の神さま信仰となったというが、

「その石、ほんまに歯の形してるんよ」

と紅玉は言う。

「なで石、言うんはその御神体の一部、言われててな、お社の前に置いてあんねん。それを撫でてから痛い歯のとこ触ると虫歯が治る言われてんのや……昔は虫歯言うたら抜くしかなかったから、なで石撫でて歯痛を我慢して、抜けるまで待っとったんやないかな」

梓は翡翠に、食べ終わったら必ず歯磨きさせるという約束をして、ようやく、ホットケーキを買いに行く許可をもらった。

「スーパーに買いに行きますので、子供たちといっしょに家で留守番か、子供たちといっしょにスーパーか、どっちがいいですか？」

マイバッグを持って翡翠に聞くと、

「スーパー……」

いつぞやのトラウマを思い出したか、その顔が青くなる。

「こ、子供たちとおでかけはしたいが……すーぱーあああ……」

「めんどくさいな、お前は家にいろ」

紅玉は冷たく言うと、居間のほうに向かって言った。

「一緒におでかけしたい人いるかなー」

「おでかけすりゅー！」

蒼矢がぴょんぴょん跳ねた。白花も手を挙げる。

珍しいことに、いつも率先して出かけたがる朱陽は家に残ると言った。

「ひーちゃにえほん、よんでもらうのー」

朱陽が乗り物の絵本を抱えて走ってきた。

「これねー、ユーショーくんにかちてもらったのー」

「おお、そうか。朱陽はおりこうだな」

翡翠は嬉しげに朱陽のふわふわした赤毛を撫でた。

梓はもう一人、反応のない玄輝を探した。

「玄輝は――――ああ、……寝てるね」

公園から帰ってくると、そのまま爆睡がいつもの玄輝のコースだ。

「じゃあ、蒼矢と白花、一緒にスーパーに行こう」

「梓ちゃん、俺も一緒に行くで」

紅玉が手を挙げてくれる。それに翡翠がうろたえた顔をした。

「え、待て、蒼矢と白花が行くなら私も」

「お前は朱陽と玄輝と一緒に留守番やろ」

紅玉が呆れた顔をする。

「あ、そうか。し、しかし蒼矢と白花………」

「四兎追う(よんと)ものは一兎(いっと)も得ず、や。あきらめて留守番しい」

「あううう」

しゃがみこんでしまった翡翠に朱陽が「あいっ」と絵本を差し出す。翡翠は諦めて、朱陽と一緒に居間に向かった。

二

紅玉が蒼矢、梓が白花の手を引いてスーパーに向かう。蒼矢は「オーガミオー」の主題歌を歌い、白花は念話で梓に話しかける。

「スーパー行くんは久しぶりやなあ」

紅玉はうきうきした様子で言った。

「紅玉さんはスーパー平気なんですね」

「はは、僕はスーパーとかコンビニとか、お店好きなんやー」

「そうなんですか」

「僕はもともと大阪の神社におってな……」

紅玉は道行く人をどこか懐かし気(げ)な目で見つめた。

「火伏(ひふ)せの役目を担(にな)っとったんやが、その神社が空襲で焼けてしもうたんや」

「空襲……って、日本の？」

「そや、第二次世界大戦——太平洋戦争」

梓にとっては遠い過去の話。こうして生活していると、まるで現実味が湧かないが、確かにそれはあったと目の前の青年が言う。

大阪の空襲は八回も行われ、住宅密集地帯の一般家屋を狙った無差別攻撃は、一万人以上の死亡者を出したと言われている。

「いくら火伏せの神言うてもクラスター焼夷弾(しょういだん)にはかなわんかった。もう燃えた燃えた。そんで行くとこがなくなってアマテラスさまに拾ってもらったんや」

「そうだったんですか」

いつも飄々(ひょうひょう)としている紅玉にも苦労があったのだ。

「大阪は知っとると思うけど商売の町や。僕の神社のそばにも賑やかな商店街があってな、元気なおばちゃんやおじちゃんたちがおったんや。やからお店とか好きなんや」

「翡翠さんもやっぱり神様だったんですか」

「あいつはちょっと違う」

紅玉は片目をつぶって笑った。

「山の中にきれいな清水が湧き出る場所があってな、そこの気ィが凝(こご)って生まれたんや。

何百年かその気のままだったんやが、水が美味かったんで人の感謝の気持ちを集めて精になったんや。社まで建ててもらってな。もうちょっと信仰が強かったら神さんになってたかもしれん」

「へえ……」

想像してみる。山の中の神秘的な泉、そこに立つ翡翠。

「いわゆる純粋培養。あんま人とも関わっておらんから融通がきかんのやな」

端正な容姿の翡翠には似合う背景のようだ。

「じゃあ普段はその山の泉にいるんですか？」

「いや……」

紅玉は首を振った。

「あいつも自分の泉を失ったんや。普通は自分を生んだものが無くなればそのまま散ってしまうところやったんやが、精としてはたくさんの力をたくわえた翡翠をアマテラスさまが惜しんで、タカマガハラに召し上げたんや。まあ、そのへんの詳しいいきさつは、そのうち翡翠自身が話すやろ」

翡翠さんが俺になんて話してくれるだろうか？

しかし、紅玉も翡翠も自分の大切なものを失っているのだと知り、梓は少しだけ二人と近くなったような気がした。何故だろう？　欠けている部分がある方が自分たちに近いと思うからだろうか？

話しているうちにスーパーについた。蒼矢はすぐに鮮魚売り場に行きたがったが、今日の目的はホットケーキの粉とたまごに牛乳、バターだ。

「蒼矢、今日はおさかな買わないんだよ？」

「やー！　おしゃかな、みるのー！」

蒼矢は梓の腕の中でじたばたする。

「梓ちゃん、蒼矢とおさかな見てて。ホットケーキに必要なもんは、僕と白花で買うとくから」

紅玉が言ってくれなければ、蒼矢は子供の特権の、「床に転がって駄々をこねる」をするところだった。

「すみません、紅玉さん」

梓は紅玉に礼を言って、蒼矢に引っ張られて行った。

「――そういえばこのスーパーで魔縁天狗に襲われたんやったな」

蒼矢の気のすむまで魚をみたあと、冷凍食品売り場で紅玉と合流した。

「ええ、まさかこんなところで出くわすなんて思ってもみませんでしたよ」

「そんでここで撃退したと」

ぐるりと冷凍ケースの中の食材を見る。

「子供たちのおかげですけどね」

幸運なことに今日はそんな目に遭わずに済みそうだ。

「しかし、ようサバの冷凍煮つけなんかあったなあ……。お、焼きナスなんかも冷凍になっとんのか、へえー」

紅玉はしきりに感心して冷凍ケースを眺めている。

(あじゅさ、オ花、見テイイ?)

白花が遠慮がちに言う。梓は会計を紅玉に任せ、入り口にある生花コーナーに向かった。

(オッキイハッパネ)

白花が観葉植物のモンステラを見て言う。切れ込みの入った丸い葉っぱは白花の顔より大きい。つやつやとした緑のそれを、白花は両手で触った。

「そうだね、大きいね」

(オフネ、ミタイ)

「そっかー、お舟かあ。確かにもう少し大きければ、白花乗れるかもね」

白花はうふふ、と声もなく笑う。

そこへ会計を済ませた紅玉と蒼矢がやってきた。

「どないしたん?　その葉っぱ買うの?」

「いいえ。白花がこの大きな葉っぱを舟みたいだって言うから」

「おふね？」

蒼矢が白花の横で葉っぱを掴んだ。

（ソウ。川ニ浮カベタラオ舟ミタイデショ）

「ほんとだー！」

蒼矢は白花と顔を見合わせて笑った。

「おふね！　そーや、これにのんの」

「蒼矢も乗るの？　二人乗ると沈んじゃうよ」

「しずまないの！　おっきくすればいいの」

蒼矢がそう言ったとたん、ざわざわとモンステラの葉が揺れた。根元からぐうっと緑の葉っぱが伸びてくる。

「え？　蒼矢？」

「おっきくしておふねにのんの！」

「ちょ、だめ！」

たかだか直径三十センチだったモンステラの丸い葉が、いきなり一メートル近く広がる。

青龍は木の精。どんな植物も蒼矢の意のままになる。

「だめー！」

梓は蒼矢を抱きかかえると慌ててスーパーを飛びだした。

「ぶー！」

蒼矢がいやがって暴れる。

「蒼矢、だめでしょ、青龍の力使っちゃ」

「だぁって、おふねぇ……」

蒼矢がぐずる。

「蒼矢、ここでお舟にしても乗れないよ。だってお水がないもの。こんどまた海に行ったら、お舟、浮かべよう？」

蒼矢は疑い深い顔で梓を見た。

「ほんとにおふねにのる？」

「うん、だから、お水のないところでは葉っぱ大きくしちゃいけない。約束だよ」

「うん……」

蒼矢はこっくりうなずいた。梓と紅玉は、はーっと大きくため息をつく。まったく、子供はなにをしでかすかわからない。

三

「さあ、ホットケーキを作ろう！」

梓がキッチンに立って、そう宣言すると、玄輝以外の子供たちが両手を挙げて歓声をあげた。玄輝は起きてきたが、まだ眠そうにあくびをしている。

「ほとけき！　ほとけき！」

蒼矢が謎のダンスを始める。それに朱陽も加わった。キッチンにある大きなテーブルの下を転がったりハイハイしたりする。

「みんな、ちゃんとして」

翡翠が膝をついて子供たちの袖をひじまでめくりあげる。エプロンの代わりにタオルを首に巻き付けた。

「じゃあたまごを割りまーす」

「あーい」

ホットケーキの粉一袋で三枚焼ける計算なので、２袋入りを買ってきた。一袋につき、たまごは一つ。梓はボールに二つの卵を割り入れた。

「それから牛乳でーす」

「あーい」

牛乳はコップに二杯。

「じゃあこれ混ぜるよー。混ぜたい人ー」

「あいあい！」

三人とも手を挙げたので一人ずつ交代で混ぜさせることにした。椅子の上に一人ずつ乗って、テーブルの上のボールを抱える。

蒼矢はぐるぐるぐるとただ円を描くだけでたまごと牛乳が混ざらない。

朱陽は混ぜている途中で泡立て器を持ち上げてしまったので、混ざらない卵がばしゃんとボールに落ち、中身を飛び跳ねさせてしまった。

白花はゆっくりゆっくり慎重に混ぜるのでやはりうまく混ざらない。

「玄輝も混ぜてみる？」

梓は玄輝を抱いて椅子の上に乗せた。玄輝は泡立て器を持たずに人指し指をボールの中へ差し入れた。

「あ、玄輝。だめだよ……」

止めようとしたとき。

　ボールから黄身と白身と牛乳がらせんを描いて飛び上がった。それらは空中でぐるぐる回ると、完璧なクリーム色になってするんとボールの中に戻った。

「玄輝ってば」

　水の精である玄輝にしてみれば、液体状のものを操るのはお手の物だ。玄輝は半分閉じた目でにこりと笑う。

「えー、じゃあ玄輝がカンペキに混ぜてくれたので、ここにいよいよホットケーキの粉を投入します」

「あーい!」

　粉を二袋いれる。こんもりと山になった。とりあえずがしゅがしゅとかき混ぜてみたが、あまりまざらない。

「あれ?　こんなんでいいのかな。牛乳足りないのかな」

「でも箱には一五〇グラムにつき二〇〇ミリって書いてあるで」

「二袋で三〇〇だから四〇〇でいいんですよね……」

　不安になってくる。

「もう少し混ぜてみるか?」

「はい」

　混ぜているうちに白い粉の部分が溶け込んでゆく。そのかわり泡立て器が重くなってきた。

「こ、これ、こんな固くていいの？」

「情けないな、羽鳥梓。貸してみろ」

翡翠が代わって泡立て器を受け取る。

「ふンヌッ！」

翡翠の腕が猛スピードで回る。

「どうだ！　この滑らかな動き！」

「わー、ひーちゃすごーい」

子供たちが歓声をあげた。翡翠はますます混ぜる速度を上げる。ぴっぴとタネが飛び散りだした。

「……翡翠さん、ストップ！　混ぜすぎるなって書いてあります！」

スマホでホットケーキのレシピを見ていた梓が叫ぶ。

「混ぜすぎるとふくらまないって」

「なんだとお！」

ガションッと勢いあまって翡翠の手から泡立て器が飛んだ。

「ああっ！」

子供たちの悲鳴があがる。泡立て器はホットケーキのタネをまき散らしながら床に転がり落ちてしまった。

「あーあ、大惨事や」

紅玉があわてて拾いに走った。

「そんな……混ぜろというから混ぜたのに……」

がっくりと翡翠がテーブルに両手をつく。

「ふくらまないホットケーキなんてホットケーキではない！」

「だ、大丈夫ですよ、翡翠さん。なんか、マヨネーズいれたらふくらむって書いてあります！」

「ふざけているのか、羽鳥梓！　ホットケーキにマヨネーズなどいれるはずがなかろう！　いくらわたしが人の食べ物にうといからといって……」

「い、いえ。ほんとみたいなんですよ、ほら！」

梓は翡翠にスマホの画面を見せた。そこには「生地にマヨネーズを混ぜて焼くと、乳化された植物油や酢がグルテンの形成に影響を与えるため、生地がふくらみやすい」と書かれていた。

「乳化された油と酢……」

「グルテンてなんや？」

「えっと」

グルテンはタンパク質の一種。小麦加工品を作る上で弾性や柔軟性を決め、膨張を助ける要素。

男三人がスマホの小さな画面の前で顔を寄せ合う。

「つまり、小麦系のホットケーキやから、そのー、マヨネーズにはいっとる油や酢が、いい仕事するってことか？」

「そう、そうなんじゃないんですか？」

「ふ、ふくらむのか？」

梓は急いで冷蔵庫を開けた。マヨネーズを取り出し、二人に見せる。

「これ！　これが今は唯一の頼みの綱(つな)です」

「いれろいれろ！」

「どンだけいれるの？　全部？」

「わー、いれすぎ！」

すったもんだのあげく、ようやくタネを完成させた。あとはフライパンを温めて焼くだけだ。

「よ、よし。こっから先は火の精の僕の出番や」

紅玉がフライパンを握る。

「すべての火は僕の意のままや。いくで！」

「あ、ちょっと待ってください」

再びスマホの画面を見ながら梓が言う。

「一度ぬれ布巾であら熱をとるって書いてありますけど、あら熱ってなんですかね？」

「あら熱……荒い熱、か？」

「荒い熱……？　なんかこう、ゴウゴウ燃え盛る火のことか？」

水の精と火の精が顔を見合わせる。

「でもそれをぬれ布巾でとるって……」

「おろかものめ。それはつまりぬれ布巾を燃やすほどの火がいるということではないか」

「そっか、つまりすごく熱くしろってことやね？」

「そう……なのかなあ？」

ふたりの精が納得している。梓は首をかしげながらスマホを操作した。

「よし、燃やすでえ！」

ゴッとコンロの火が大きく燃える。紅玉はその中にフライパンを突っ込んだ。

「僕ならどんなに熱くなっても平気やしね！　じゃあホットケーキを焼こうか」

「あ、やっぱり違う！　熱くしたフライパンをぬれ布巾の上に置いて、フライパンを冷ます――熱くしちゃいけないいんだ」

「なんやてえ！」

紅玉が慌ててフライパンを火から外した。途端に強くしていたコンロの火が、ボウッと天上まで吹き上がる。

「わあああっ！」

「火事火事火事！」

「火を消せえええっ！」

「水水水水水水ッ！」

――――……

「天井が黒くなった……」

梓は炎で焼けた天井を見上げて呟く。

「ま、まあ、あとで拭けばいい」

「賃貸やないんやから大丈夫やよ……」

三人はぐったりと肩を落とした。

「台所が戦場のようです……」

「気を落とすな、羽鳥梓。ホットケーキの戦いはこれからだ」

「なにを打ち切り漫画みたいなセリフを」

紅玉はもう一度フライパンをコンロに置いた。

「適度に温まったからな、あとはこれを弱火で焼いていけばええんやろ。さて、ホットケーキのタネをいれるで」

おタマですくってフライパンに流し込む。丸く注いでしばらく待つと、表面にプツプツと穴が開いてきた。

「えっと、なんか穴が？」

「あ、これでいいんです。思い出してきた。この穴が開いたらひっくり返すんですよ」

「紅玉、できるのか？」

「がんばる……」

子供たちが熱い視線を送っている。紅玉はフライ返しを丸いタネの下にいれ、慎重に乗せた。

「せやっ！」

掛け声といっしょにひっくり返す。きれいなきつね色が表面になった。

「わあ、紅玉さん上手！」

「うーん、あまり膨らまないな」

「マヨネーズが仕事をしていないのか？」

「マヨネーズを責めたげないで……」

やがて一枚焼き上がった。

紅玉がフライパンから大きなお皿にホットケーキを乗せる。

「よし」

梓がそれを四つにきりわける。

「みんな、お皿持って」

四人がいっせいに自分の皿を持った。

「さあ、一つずつだよ」

「わああ」

扇形になったホットケーキを四人のお皿に一つずつおいていく。

「これにねーシロップをかけます」

とんがったボトルのてっぺんから、とろーりと金色のシロップをかけた。

「さあ、食べていいよ、みんな」

梓は四人にフォークを持たせた。みんな椅子の上に膝立ちになってテーブルの上にホットケーキを見つめている。なかでも蒼矢は嬉しさと緊張とでぶるぶる震えていた。

「ほとけきー、いーにおいー……」

あがっている湯気の香りを追って、朱陽がうっとりと目を閉じる。

（フワフワー）

白花がフォークの先でホットケーキをつついた。

「……」

玄輝はフォークの背で丁寧にシロップをホットケーキに擦りつけている。

「はー……、いただきまーす！」

蒼矢はお皿を手前に寄せると、フォークでホットケーキを刺し、それを口もとに引っ張った。

「あー……む、……」

「ん、んー」

（フワフワー）

「……」

口に入れた途端、四人の顔がぱあっと明るくなった。

「おい……っ」

「……しいっ！」

（アマーイ！）

「……っ、……っ！」

玄輝はガクガクと首を前後に振った。

「どうかな？」

梓の声に四人は振り向いて歓声をあげた。

「おいしいっ！」

「ほとけき、すきっ！」

（オイシー！）

「――――！」

フォークを握りしめ、あぐあぐと口を動かす。そうしている間に二枚目が焼き上がった。

「よーし二枚目だよ」

梓が言うと、四人は空（から）になった皿をてんでに突き出した。

「たべりゅ、たべりゅー！」

「あえびもたべゆ！」

（チョーライ！）

「……！」

梓は紅玉や翡翠と顔を見合わせて笑った。

「よかったー、どうなることかと思ったけど」

「うまくいったな」

「僕の火加減のおかげや」

徐々にコツを掴んできた紅玉が、今度はフライ返しを使わず、ポン、とホットケーキをひっくりかえした。

「おおー！」

「今どうやった？」

「さあ、三枚目だ」

再び小さな手が皿を突き出す。

「食べ過ぎじゃありませんか？」

「いや、一枚を四つに切ってこれで三枚目だから……まだ一枚いっとらん」

「だが、フライパンは大きいし、充分だろう」

「じゃあこれでおしまいだよ」

梓の言葉に四人の頬がぷうっと膨れる。

「やだーもっとー！」

「食べすぎるとおなかこわすよ」

バンバンと蒼矢がテーブルを叩いて遺憾(いかん)の意を表明する。

「もっとたべゆー！」

（タベルー）

「……っ、……！」

翡翠が冷蔵庫から牛乳を出し、それを四つのコップにいれた。

「食べ物ばかりでのどが乾いただろう？　さあ、飲みなさい」

「ん……」

四人がコップを抱えるようにして、んくんくと牛乳を飲む。飲み終わって大人のように、はあっと大きく息をついた。

「どうだ？　まだ食べられるか？」

子供たちは三枚目を食べ始めたが、あきらかに満腹の様子だった。おなかに牛乳をいれたことで、いったん、興奮が納まったらしい。

玄輝がカランとフォークを手放し、椅子の背もたれに身体を預けた。

「玄輝、おなかいっぱい？」

梓の声にこくりとうなずく。うなずいたまま――眠ってしまった。

「キッチンで寝てはいかんぞ」

翡翠がそう言い、玄輝を抱き上げた。

「うー……」

蒼矢は半分ほど食べて力尽きたようにテーブルの上につっぷす。朱陽もげっぷをした。

「じゃあみんな居間に行ってやすもうか」

子供たちを椅子からおろし、梓が居間に連れてゆく。キッチンには紅玉と白花だけが残った。

「白花さんもおなかいっぱいやろ」

紅玉はそう言ったが、白花は無言でホットケーキを食べ進んでいる。自分の分を食べ終えると、玄輝の残した半分に手を伸ばした。

「し、白花？」

白花の小さな口にたちまちホットケーキが消えてゆく。続けて蒼矢の皿と朱陽の皿まで自分のもとに引き寄せた。

残ったものを全部食べ、白花は小さな舌でぺろりと唇を舐めた。

（ゴチソーサマ）

白花はぴょんと椅子から飛び下りると、パタパタと居間に走ってゆく。

「うーわー……」

皿を重ねながら紅玉は呟いた。

「白花……おそろしい子！」

残り三枚のホットケーキは、翡翠と紅玉と梓で食べたのだが……。

「なんか、ちがう」

唯一ホットケーキの味を知っている梓が異を唱えた。

「俺が子供のころに食べたのと味が違う。こんなにすっぱくなかったし、こんなに固くなかったし」

「子供のころの記憶は美化されるというぞ」

「やっぱりマヨネーズが」

「マヨネーズをいれろと言ったのは梓ちゃんやないか」

「だって、膨らまないとホットケーキじゃないって翡翠さんが」

「いまさらだろう、羽鳥梓」

「あああ！」

　梓はがっくりと台所の床に膝をついた。

「初めてのホットケーキだったのに、間違った味を教えてしまった……」

「ま、まあ、今度リベンジしよ、な？」

「今度は最初からうまく作れる自信がある」

　梓の落ち込みように火の精と水の精が両側からなだめた。

「こ、今度はカンペキなホットケーキを」

「そうだ、子供たちのために！」

　梓のこぶしに紅玉と翡翠が手を重ねた。

「子供たちのために！」

　望みが叶うか否かは誰にもわからない……。

終

翌日、子供たちは公園で、ホットケーキがいかにおいしかったか、その日がいかに楽しかったかを、ママさんたちに語ってくれた。

梓はママさんたちからほめられたが、あの惨状や、あの微妙な味を思い出すと身の置き所もなかった。

「これからも時々作るつもりです」

カンペキなホットケーキ、究極の味。

翡翠や紅玉もリベンジを狙っている。

「大きくなっていくにつれて、できるお手伝いが増えていくのも楽しいのよね」

「そうですね」

ママさんたちはホットケーキをアレンジしたいろいろなお菓子も教えてくれた。リンゴをカットして中にいれるだの、薄く焼いてホイップクリームを巻くだの、今の梓にはかなり高度な技術を要する。

そんな会話の中で思い出した。

自分も母親と一緒にホットケーキを作ったことを。

はじめてたまごを割ったときのこと、フライパンを握ったときのこと。

どれもホットケーキのときではなかっただろうか？

ホットケーキのタネを舐めて怒られたこともあった。シロップを床にぶちまけたこともあった。

母親の仕事が休みの昼ごはん。

その中でもスペシャルな思い出。

バターの香りとシロップの味とふわふわの食感。

「俺、ホットケーキが大好きだったんですよ……」

自分が母親にホットケーキを作ってもらった日の喜び、あの甘さ、楽しさ。

そんな記憶を子供たちにも持ってもらえただろうか？

そんな思い出を大事にしてもらえるだろうか？

蒼矢が拾った木の枝で、地面に大きな円を描いている。

「あじゅさー！」

手を振って呼んだ。

「ほっとけーきよー」

大きな丸はホットケーキ。その上に子供たちが乗っている。

「うん、とってもおいしそうだね」

何枚でも、何百枚でも焼こうね。

いつか君たちが天に帰って自分たちの勤めを果たすときも、その甘さがいい思い出になるように……。

第三話 神子たち、モノノケ退治する

序

そのモノノケは人になりたいと思っていた。

長い時の中、いつもいつも人を見ていた。意志が芽生えてからも人を見続けた。

人もまたそのモノノケを見つめた。見つめて笑った。

モノノケは自分に笑いかけるその顔に憧れた。

人になれば笑い返せる。

人になれば笑うことができる。

人になりたい――。

あるとき黒い翼を持つものがやってきて、モノノケに囁いた。

人間になる方法があるぞ、と。

お前は充分人になるための力を蓄(たくわ)えた。しかし、あとほんの少し、足りないものがある。

それはなんだ、とモノノケは聞いた。

力を貸してやろう、と黒い翼の主は言った。そしてモノノケにその方法を吹き込んだ。

モノノケは東を目指した。東の地には望みを叶えるための最後の〝力〟があったからだ……。

一

「そういえば先週、品川(しながわ)の方で通り魔事件があったでしょ」

「そうなんですか？」

「そうなのよ、それが、渋谷(しぶや)でもやっぱりあって、どうも同一犯らしいって、ワイドショーで言ってたんだけど」

「はあ、」

「その前に、報道はされてないんだけど大崎(おおさき)でも同じような事件があって、なんだか山手線にのってきてるみたいだって言ってるの。ワイドショーじゃ山手線通り魔事件って言ってたんだけど、梓ちゃん、知らないの？」

呆れたように言うユーショーくんママに、梓は曖昧(あいまい)な笑みを浮かべた。

「すみません、あんまりテレビ見てなくて」

「若い子はスマホしか見てないものね」

公園のベンチで梓とユーショーくんママは一緒に編み物をしていた。

以前教わったマフラーは先週二本目が完成したので、今は三本目に挑戦中だ。だが、もうけっこう温かくなってきているので、四本全部できあがるころには、マフラーはいらなくなっているかもしれない。

まあ、来年用だと思えばいいか。

「こんにちはー」

エリカちゃんママがベビーカートを押しながらやってきた。カートの中にいるのはまだ一歳にもならないカリンちゃんと、お姉ちゃんのエリカちゃんだ。

「こんにちは、樹里(じゅり)さん。こんにちは、エリカちゃん、カリンちゃん」

梓が挨拶するとエリカちゃんが小さな声で「こんにちは」と言ってくれた。カリンちゃんはまだきょとんとしている。

「アケビちゃんはー?」

エリカちゃんが聞くので梓はジャングルジムを指さした。

「あそこにいるよ」

エリカちゃんは自分でカートから降りるとジャングルジムに向かって走って行った。

エリカちゃんママはカリンちゃんを抱き上げると、梓の横に腰をおろした。

「最近あったかくなってきたわねー」

「そうですね」

「公園の桜も散っちゃって」

「ですねー」

「そして花粉の季節よ」

エリカちゃんママはくしゃみをひとつすると、ポケットからマスクを取り出して顔につけた。

「そういえば、さっきも梓ちゃんに話してたんだけど、山手線通り魔の話」

「ああ、あの」

「やっぱり知ってるわよねえ」

ユーショーくんママの言葉に梓は「すいません」と首をすくめる。

「怖いわよねえ」

「でも、あれよくわからないのよね」

エリカちゃんママはカリンちゃんをぎゅっと抱いて、その髪の中に顔を埋めた。

「殺されたって話でもないし、乱暴されたって話でもないし」

「そうね、ただ襲われたって言ってるのよね」

「TVが家族や近所の人に取材してたけど、なんか曖昧でね」

「大崎の事件だって、家族が警察に連絡しなかったって言ってたわね」

「やっぱり、明らかにはされてないけど乱暴されたんじゃないの？　だからはっきりさせないのよ」

「そうよねえ……」

二人のママが自分に意見を求めてこないのは助かる、と梓は思っていた。今、柄を変えるむずかしいところを編んでいるのだ。

「山手線ってことはぐるりと回って池袋にまでくるかしら」

「やあねえ、早く捕まってほしいわねえ」

ひゅうっと突風が梓の顔に吹きつけた。

「きゃあ、寒いっ！」

「時々突然寒くなるわねえ」

「衣替えの替え時がわからなくて困るわね」

通り魔の話しなど、自分には関係ないと思っていた。同じ魔なら魔縁天狗という怖いものに目をつけられている。

いまの梓の関心はマフラーの編み目の数だけだ。

お昼ごはんに家へ戻ったあと、梓は子供たちを庭で遊ばせた。

冬の間寂しかった庭も、小さな緑色の草があちこち芽吹きだしている。雑草ではあるのだが、子供たちのままごとの材料になっているので、梓はほったらかしにしていた。

ピンポーンとインタフォンが鳴る。

宅配かな？　と思って出てみると、隣の仁志田家の老夫人だった。今日もふわふわとした毛糸のベストを着ている。

「あ、こんにちは、羽鳥さん」

「こんにちは」

仁志田夫人はバインダーと赤い木蓮の花のついた木の枝を持っていた。

「回覧板よ。閲覧したら三波さんのお宅に持っていってね」

「あ、はい」

「それからこれ」

夫人は木蓮の枝を梓に渡した。

「庭の木蓮がたくさん花をつけてね。よかったらもらってちょうだい」

「あ、ありがとうございます」

両手いっぱいの木蓮の花。さて、これを生ける花瓶はないぞ？　とりあえずバケツか。

「あー、おはなー」

パタパタと朱陽と白花が走ってきた。

「おはなー、きれー」

「朱陽、白花、ご挨拶は？」

梓が振り向いて言うと、

「こにゃちわー」と朱陽が元気よく声を上げた。

「……」

白花はぺこりと頭を下げる。

「こんにちは。朱陽ちゃん、白花ちゃん」

仁志田夫人はにこにこしながら二人に挨拶した。

「ふたりとも、お花が好きなの？」

「しゅきー！」

朱陽はそう言って白花と顔を見合せ、くふふ、と笑った。

「そうなのね。じゃあ、よかったらおばあちゃんちに遊びにこない？　お池のそばに水仙の花がいっぱい咲いているのよ。好きなだけ、切ってあげる」

「わー、いくー！」

「こら、朱陽」

梓ははしゃいで飛び跳ねた朱陽の頭に手を置いた。

「あら、いいのよ、羽鳥さん」

仁志田夫人が微笑んだ。

「いつも主人と二人きりで静かだから、ちょっと遊びにきてもらうと嬉しいわ。水仙を切ったらすぐにお返ししますよ」

「で、でも……子供たちだけで人の家に行ったことがなくて……」

普通の子供ならともかく、力の使いどころがわからない四神の子供だ。万が一、四神の力を使ってしまったら……。

しかし、朱陽と白花についていくと、家には蒼矢と玄輝だけになってしまう。

（あじゅさ）

白花がつんつんと梓のズボンを引っ張る。

（ダイジョブ。白花、チャントミテル）

「し、白花……」

確かに白花は四人の子供の中では一番物事がよくわかっている。しかし、この大人びた白花も、オーガミオーに夢中になれば小さな虎になってしまうのだ。

「ねー、あじゅさー、おばーちゃんちいくー」

朱陽がぴょんぴょん跳ねながらお願いした。

「ね、羽鳥さん。いいでしょう？」

ここで強硬に断れば、優しい仁志田夫人を悲しませてしまうかもしれない。それに、子供たちもいつまでも保護者と一緒というわけにはいかないだろう。梓は決心した。

「わかりました、ちょっと待っててください」

梓は朱陽と白花を台所に連れて行った。

「いいかい？　ぜったいに仁志田さんちで変身したり、飛び上がったり、火を出したり、ビリビリしたり、頭の中でお話しちゃだめだよ？」

「ちってるー、こーえんでも、ちてなーいー」

朱陽はいばって言った。

「そうだね、してないね。でも人のおうちじゃもっとしちゃいけないからね。梓と約束だよ？」

「やくしょく？」

「そう。ほら、オーガミオーで友情の誓いってやってただろう？　一度言ったことは必ずやる……誓いをやぶったブルードラゴンはどうなった？」

（ぶるーどらごん、石ニナッチャッター）

「そう。約束と誓いは同じことだからね。絶対に神様の力を使っちゃだめだよ？」

「わかったー」

（ワカッタ、誓ウ）

「じゃあ、ゆびきり……こんなふうに指出せる？」

梓は拳をつくり、そこから小指だけを立てた。二人も一緒にやってみるが、むずかしいらしく、薬指も一緒に伸びてしまう。

梓は二人の小指に自分の指を絡ませた。

「じゃあ、約束。これは約束の印のゆびきりだよ」

「ゆびきり……」

朱陽と白花は梓が指を絡めた小指をまぶしげに見つめた。

「おまたせしました」

梓は朱陽と白花にコートを着せて玄関に連れてきた。

「じゃあお願いします。二人ともいい子でね」

「いいこー！」

「……」

二人は梓に手を振った。梓はドキドキする胸に手を当てて、その姿がアコーディオン式の門を超えるまで見送っていた。

「こにちわー！」

仁志田家の玄関で、朱陽は大きな声で挨拶した。すぐに仁志田老人が顔を出す。

「ほう、これはかわいいお客さんだ」

仁志田氏は目を細める。

「羽鳥さんに無理言ってお嬢ちゃんたちを連れてきちゃったわ。水仙を切ってあげたら、すぐにお返しするのよ」

仁志田夫人は二人の靴を脱がせた。

「廊下から庭に降りましょうね。お靴を持ってきてくれる？」

「あーい」

二人は膝をついて靴を持った。

「はは、小さいの。まるで小犬か子猫のようだ」

膝の下あたりでぴょこぴょこと動いている頭を見て、背の高い仁志田氏が笑う。

「あーちゃん、にゃんこちゃんじゃないのー」

そう言われて朱陽が反発する。

「そうか、猫じゃないのか。なら朱陽ちゃんはなにかな？」

「あーちゃん、とりさんなの」

「鳥さんなのか」

「はいやーばーどなのよー！」

さっと変身のポーズを取る朱陽に白花が飛び掛かる。二人はそろって床に倒れた。仁志田夫人が慌てて抱き起こす。

「あらあら、大丈夫？　痛くなかった？」

「いたくなーい」

朱陽がケラケラ笑う。

（朱陽、変身ダメ）

白花が朱陽に顔をくっつけて言う。

（誓イ、ヤブルト石ニナッチャウヨ）

「あ、そっかー」

朱陽は両手で頬を押さえて「むー」と持ち上げた。

「いいこ、するー」

二人は仁志田夫人のあとについて縁側に行くと、ぽいっと靴を放る。

「えんがあ、おっりするのー？」

「そうよ、ちょっと高いから気をつけてね」

「へっきー」

朱陽は後ろ向きで縁側から両足を垂らし、地面に降りた。沓脱石（くつぬぎいし）に腰をおろして靴を履く。白花は縁側に座るとそのまま足を揃えて伸ばし、滑るように降りる。靴は縁側に手をついて立ったまま履く。

「こっち来てね」

仁志田夫人のあとについていった二人は、石でぐるりと囲まれた小さな池に歓声をあげた。白と黄色の清楚な水仙が周りにたくさん咲いている。

「きれー」

「……」

二人はすぐに仁志田夫人のそばにしゃがみこんだ。白花が気づいて鼻をくんくんさせる。朱陽も真似して周囲を嗅ぎ、声を上げた。

「いーにおいしゅるー」

「そうよ、水仙は香り高い花なの。さて、どのくらい切りましょうか」

「たくしゃん！　あじゅさにあげんの」

「そう。朱陽ちゃんは梓さんが大好きなのね」

「だいしゅき！」

仁志田夫人は白花の顔を見た。白花は少し口を動かしたが、すぐにうつむいてしまう。

「白花ちゃんも梓さん、好き？」

白花の黒髪がこっくりと動く。

「そう、いいわねえ」

仁志田夫人は水仙をスパスパと切ってゆく。十本ほど切って、朱陽に渡した。

「はい、朱陽ちゃん」

「あいがとー」

もう十本切って白花にも渡す。

「はい、白花ちゃん」

「……」

白花はぺこりと頭を下げる。

「きれーね、いいにおいねー」

朱陽が水仙の束に顔をつっこんだ。

「あ、おばーちゃん、あいわー？」

すぐに別なものを見つけ指を差す。朱陽の気を引いたのは、赤い実をつけている南天(なんてん)だ。

「あれは南天よ。鳥さんがよく食べにくるわ」

「とりしゃん、くるの？」

「そうよ。冬の間は餌を探すのも大変だから、お庭に果物やお米を撒(ま)いておくの。そうすると鳥さんがいっぱいくるのよ」

「へー」

朱陽はたたたと走ると、いきなりその南天の実をぶちっとむしった。それからひょいと口にいれてしまう。

「きゃあっ！　朱陽ちゃん！」

仁志田夫人はすっとんでいって朱陽の顔を抱いた。

「だめよ、食べちゃ！　出しなさい！」

「えー」

朱陽が舌の上に噛んだ南天の実を出す。

「ぺってして。ぺっ、よ」

「？」

朱陽には「ぺ」の意味がわからない。舌の上に赤い実を乗せたまま首をかしげている。

そこへ白花がやってきて、さっとその舌の上から実を取り除いた。

「ああ、ありがとう。白花ちゃん。……朱陽ちゃん、苦かったでしょう？」

「んー、わかんにゃい」

朱陽はにこにこしている。

「南天はのど飴になるくらいだから毒じゃないと思うんだけど……おじいさん、ちょっと、おじいさん！」

仁志田夫人は縁側に手をついて仁志田氏を呼ぶ。

「どうしたんだ」

「朱陽ちゃんが南天の実を口にいれちゃったの。すぐに出したんだけど、大丈夫かしら」

「ああ、大丈夫じゃ。別に害はありゃあせん」

「ほんと？」

「ああ、わしも子供の頃、食ったことはある。まあそううまいもんじゃないが、少しだけ甘い」

仁志田氏は縁側に並んだ二人の頭を撫でた。

「子供は好奇心の固まりじゃ。なんでもやらせてみるがいい」

「そんなこと言って……毒のあるもの口に入れたら大変じゃない」

「毒といえば水仙の葉っぱは毒だから食うなよ？」

仁志田氏は二人の持つ水仙を指さした。

「腹が壊れて大変なことになるぞ」

「たべなーい」

朱陽が元気よく返事をする。

「白花さんも食べるでないぞ？」

「……」

白花もこくりとうなずく。

「もしなにか花や木の実を食べたくなったらわしのところへくるといい。食べられるものと食べられないものを教えてやろう」

「ちょっと、おじいさん。また調子に乗って」

「いいじゃないか。生活の知恵だ」

仁志田氏は甲高い声を上げる夫人ににやりと笑うと、二人の子供を見た。

「また遊びにきなさい」

「あいがとー」

「うむ、いい子じゃ」

「いいこ」

朱陽と白花が顔を見合わせて笑う。

「じゃあ、梓さんにお花持っていってね」

「あーい」

ふたりはよいしょ、と縁側にあがった。夫人が靴を脱がせてくれる。

「じゃあ玄関に行きましょうね」

夫人のあとをついて玄関に向かったときだ。背後で小さく「にゃーお」という声が聞こえた。

「あら、チヨさんだわ」

階段の途中に大きなトラ猫がいた。カステラのような黄色い身体に、茶色の縞。三角の耳は全部茶色。

ぴょん、と白花が飛び上がった。そのまま白い虎になってしまう。

「あっ！」

朱陽が小さく叫んだ。幸い夫人は背を向けてチヨさんという猫を迎えに行ったので、白花の変身には気づいていない。

（しーちゃん、め、よー）

朱陽が念話で言う。

（知ッテル、ドーシヨウ）

夫人が振り向く。それより先に白花はさっと廊下の隅に逃げ込んだ。

「あら？　白花ちゃんは？」

床には白花の抱いていた水仙が散らばっている。

「えっとー、えっとー」

朱陽は猫と夫人と水仙を見ながら、身体をもじもじ動かした。

「もしかして白花ちゃん、猫がきらいだった？　逃げちゃったのかしら」

朱陽は急いでうなずいた。

「そう、しーちゃん、かえったー」

「あらあら、悪いことしちゃった。この子、チヨさんっていうのよ。ずっとうちにいるおばあさん猫なんだけど……あら？」

夫人の目が廊下のほうに向く。その視線を追って振り向いた朱陽は驚いた。廊下の角から白花の白いしっぽが出ている。

「猫……？」

「あ、あ、あれ、あーちゃんの！」

朱陽は飛んで行って白花を抱いた。

「あーちゃんのにゃんこ！　いっしょにきたの！」

「朱陽ちゃんの猫？　まあ、白のシマシマなのね……ちょっと珍しい柄ね……」

夫人が近づいてくる。朱陽は固まってしまった。こんなときどうすればいいのかわからない。白花も朱陽の腕の中ですくんでいるだけだ。

そのとき。

「にゃあん」

夫人の手の中からチヨさんが身をよじって逃げた。そのままトトトと縁側のほうに逃げてゆく。

「あら、チヨさん、ちょっと待って！」

夫人がその姿を追いかけた。

「しーちゃん、もどるの、はやく！」
（ウン）
白花は床に降りるとうずくまった。両手で耳を隠し、ころんと一回転する。パタンと身体が床に倒れたときには元の白花に戻っていた。

「あーびっくいした」

（ドウシヨウ……誓イヤブッチャッタ……石ニナッチャウ……）

「だいじょぶよー、あじゅさにごめんちゃい、しゅんの」

「……」

白花の目に涙が浮かぶ。

「だいじょぶよー」

朱陽が白花の頭を撫でた。そこへチヨさんを抱いた夫人が戻ってくる。

「あら、白花ちゃん」

白花はびくっと朱陽の背中に隠れた。

「ごめんなさいね、白花ちゃんが猫ちゃん苦手だって知らなかったの。でもこのチヨさんは大人しい、いい子なのよ」

「……」

白花は朱陽の肩ごしにチヨさんを見つめた。猫は白花を見て、目を細める。白花は小さく首を振って挨拶した。

「朱陽ちゃん、さっきの猫さんは……」

「かえったー」

朱陽は両手を振る。

「え？　そうなの？　大丈夫なの？」

「だいじょぶー、かえったからー」

「……」

夫人はチヨさんを抱いたまま首をかしげた。いったいあの猫がどこからきてどこへ行ったのか、考えているようだ。白花が朱陽の手をぎゅっと握った。

「外猫だったのかしら……」

夫人はそう結論つけたようだ。チヨさんを階段に戻し、床に散った水仙を拾い集めてくれた。

「また来てね。チヨさんは二階にあげておくから」

「だいじょぶ、しーちゃんびっくいしただけ」

ね、と朱陽に言われて白花はこっくりとうなずいた。本当は猫が好きなのだが念話を使ってはいけないという約束もしている。それを伝えられないのは悲しかった。

夫人は二人の家まで送ってくれた。インタフォンを鳴らすと、すぐに梓が玄関を開けた。

「おかえり！」

梓は膝をついて二人の顔を見上げた。

「大丈夫だった？　いい子にしてた？」

言ったとたんに白花が梓にしがみついた。

「ど、どうしたの？　白花」

「ごめんなさい、うちの猫が白花ちゃんを驚かしたみたいなの」

「猫が？」

「それに朱陽ちゃんの猫が途中でいなくなって」

「朱陽の猫？」

そう言った途端、白花の抱きつく力が強くなる。梓はなんとなく理解した。

「その猫って白くてシマシマの猫でしたか？」

「ええ、たしか」

「なら、それは朱陽が餌をやってる外猫です。朱陽のことが好きでよくあとをついてくるんですよ。その猫までお宅に伺ってしまったんですね」

梓はできるだけ平静な口調で言った。本当は心臓が破裂しそうだったが。

「あら、やっぱり外猫だったの」

「ええ、でももう家に戻ってます。すみません、猫までお邪魔して」

「いいのよ、わたし猫好きだから。でも変わった模様の猫だったわ。耳が丸くてちょっと虎っぽい……」

「あはは、そ、そうですね」

梓は白花を抱えたまま立ち上がった。首筋が熱く湿っぽいので白花が泣いていることがわかる。

「ほんとにお花ありがとうございました」

「ええ、また咲いたら見に来てちょうだいね」

夫人は朱陽にそう言い、抱きついたまま顔を見せない白花にも優しい目を向けた。

「さーならー」

夫人が帰ったあと、梓は白花の顔を見ようとしたが、白花はぐいぐいと梓の肩に顔をこすりつけて見せてくれない。

「白花……。梓は怒ってないよ。泣かないで、お顔見せて」

(……ダッテ、誓イ、ヤブッチャッタ……白花、石ニナッチャウ……)

「わざとじゃないんでしょう？　猫がいてびっくりしたのかな？」

「そう！　ねこいたー、おっきいの！」

朱陽が下のほうで大声をあげる。

「しーちゃん、びっくいしてへんちんした！」

「そっかあ、びっくりしたんだね……それなら仕方ないよ、わざとじゃないんでしょう？　それに仁志田さんには白花が変身したのバレてないし……朱陽ががんばったのかな？」

朱陽はえへへん、と手を腰に当ててそっくりかえった。

「あーちゃんがうまいこといった！」

そう言うと玄関から廊下にあがり、パタパタと縁側のほうに走って行った。

「……どこでそういう言い方覚えてくるのかな……まあ、とにかくバレてないから大丈夫だよ。白花も石にはならないよ」

（ホント？）

ようやく白花が少しだけ顔を離す。

「ほんと、ほんと。でもこれからはびっくりしても変身しないように練習しないとね」

（ン……）

白花はくすん、と鼻をすする。

（ちよサン、助ケテクレタ）

「ちよさん？」

（オバーチャンチノ猫……変身戻ス時間クレタ）

「そっかあ、じゃあ今度チヨさんにもお礼しなきゃね」

（ン……）

梓は白花を床におろした。白花が梓にずっと握っていた水仙をくれる。それは強い力で握ったせいか、茎がかなり温まり、すこしくったりとしていた。

「すぐにお水をあげなきゃね。朱陽の水仙はどうしただろう」

（朱陽、持ッテイッタ）

白花はもう泣いていない。

「じゃあ、朱陽からお花もらってきて。梓は洗面所にいるから」

（ハーイ）

ててて、と白花が走ってゆく。

初めてのご訪問はいろいろあぶなかったみたいだが、終わりよければよしということにしておこう……。

梓は水仙を持って洗面台に向かった。

二

「ちょっとちょっと、大変よ！」

その日、子供たちと一緒に公園に行くと、ベンチのママたちが立ち上がって梓を呼んだ。

「こんにちはー。どうしたんですか？」

「あれよ、山手線通り魔よ！」

「え？　捕まったんですか？」

「逆よ、ついに出たのよ、池袋に！」

「山手線じゃなくて渋谷からまっすぐ、埼京線よ！」

ママたちはてんでに手にしたスマホ画面を梓に見せた。

それには「山手線通り魔 池袋に上陸」などとセンセーショナルな見出しが映っている。

「昨日の昼間に事件が起こったらしいの」

ママたちはかなり興奮している。

「しかも西池袋なのよ！　駅向こうだけど大変よ！」

「そうですね……」

　さすがに梓にも少し危機意識が出てきた。

「あじゅさー？」

　カートの中の子供たちが外に出たくて騒ぐ。梓が「いいよ、降りて」と声をかけると、競うようにしてカートから降りた。

　玄輝以外はてんでバラバラの方向に駆けてゆく。

「通り魔の姿とかわからないんですか？」

「それが全然わからないから怖いのよ」

　梓は首を傾げた。

「犯人がわからないのに同一犯だって、どうしてわかるんでしょう？」

「被害が一致してるんじゃないかしら」

「被害者は殺されているわけじゃないんですよね」

「そうなのよ、襲われたとは書いてあるんだけど、具体的にどうされたのかはどこのメディアでも発表されてないの。それって不気味じゃない？　なにをされたのかって考えるだけで怖いわ」

　ユーショーくんママ、エリカちゃんママ、マドナちゃんママは額を寄せ合ってああでもないこうでもないと話をはじめた。

梓もスマホ画面の中のニュース記事を読んでみる。

品川の被害者は若い母親、大崎の被害者はＯＬ、渋谷の被害者は無職、そして池袋の被害者は女子大生。

共通項は若い女性。やはりメディアで報道されないのは彼女たちに配慮してのことだろうか？

「あじゅさー」

声に顔を上げると朱陽がジャングルジムの上から手を振っている。

「あじゅさー」

こっちは蒼矢だ。コンクリの遊具の上にいる。白花は念話を感じる前に砂場にいるのを見つけた。

カートの中にいる玄輝に目を向けると、ようやく目を覚ましたようだ。

「玄輝もみんなと遊ぶ？」

玄輝はしばらく考えている様子を見せた。寝起きでぼうっとしているのかもしれない。そのうちコクリと首を前に倒した。

梓はカートから玄輝を抱き上げようとしたが、玄輝はその手を身をよじって避けた。見ていると、カートの中で一度伸びをして、それからカートのふちに両手をかけ、右足をかける。

玄輝が自分でカートを降りようとするのは初めてだ。

「玄輝っ！」

梓は感動した。なにをするのも一番最後だった玄輝がついに自分一人でカートを降りようとしているのだ。

「玄輝、がんばって！」

玄輝は身体全体をカートの縁に乗せた。あとは右足を地面に下ろすだけだ。だが、怖いのか、なかなか動こうとしない。

「……玄輝」

「……」

「玄輝……？」

寝ていた。

カートの縁にまたがったまま、猫のように寝ている。

「器用だな、玄輝は」

梓はやれやれとカートの縁から玄輝を抱き上げた。

最近は夕方になっても明るい。

二月までは四時をすぎると真っ暗になっていたのに、今はまだ手元が見える。ママたちは先に帰ったが、梓は子供たちを遊ばせたまま、ベンチで編み物をしていた。最後の段を編み終えると、梓はふーっと大きく息を吐いて腕を伸ばす。

ようやく三本目も完成した。三本目ともなると、かなりスピードアップできる。まさか自分が編み物をするとは思わなかったが、意外と向いているのかもしれない。

昔からこういうモクモク系の仕事は好きだった。大学生の時にやったバイトも郵便局や宅配便の仕分け、大学事務局の宛て名書きだ。

「ふふん、夏にはレース編みにも挑戦するか？」

マフラーを広げて満足感に浸っていると、目の前に影が落ちた。

顔を上げると、長いコートに白のつなぎを着て、顔に黒いマスクをつけた、金髪の若い女性が立っている。

（こ、これは……！）

梓は持っていたマフラーを握りしめた。

（絶滅危惧種のヤンキーというものではなかろうか？）

そんな女性がこのなごやかな公園に立っているというのも異様だが、なぜ自分の前にいるのだろう。もしかしてベンチを寄越せと言っているのだろうか。

「あ、あの、」

「よう、坊主」

いきなり背後から首を絞められた。

「ぎぇええっ！」

あんまり驚いたので声がひっくり返った。今日はずっとママさんたちから通り魔の話を聞かされていたので、それが頭の隅に残っていたのだ。

「おいおい、そんなに驚かなくてもいいだろう」

笑いを含んだ声でぽんぽんと頭を叩かれ、振り仰ぐと天狗の示玖真（しぐま）だ。

「し、示玖真さん、驚かさないでくださいよ」

「だから、なんだってそんなに驚くんだ」

「だ、だって」

「今のは示玖真はんが悪いわ。いきなり背後から首を絞められれば、うちかて声をあげるわー」

目の前の金髪女性が言った。

「え？」と梓は彼女を見上げた。彼女は示玖真を見ても平然としている。というか、彼女には示玖真が見えているのだろうか。天狗はたいてい気配を消して、普通の人には見えないというのに。

示玖真が見えるという時点で、彼女は神様（アッチ）関係なのか。

おろおろと女性と示玖真を見比べると、示玖真が笑った。

「ああ、紹介する。こいつは同属だ。京都の鞍馬から来た天狗だよ。二十六郎坊鈴女という」

「て、天狗……」

しかも鞍馬。梓でも鞍馬の名前は知っている。昔、源義経が牛若丸だった頃に修行をしたという山だ。

「そ、そうだったんですか。俺はてっきり……」

「てっきり？」

「……いえ、なんでもありません」

なんでこんなヤンキーみたいな格好をしているのかわからないが、彼女なりのポリシーがあるのだろう。

「ああ、こいつの特攻服はただの趣味だからな」

示玖真があっさり言って、梓はベンチからずり落ちそうになった。

「天狗の法衣が恥ずかしいんだとよ。でも普通の格好じゃ戦意があがらねえってこうなってんだ」

「い、一応意味はあるんえ？　戦いにおける心意気とか」

鈴女と呼ばれた天狗が赤くなっている。よく見ればけっこうかわいい。

「それで、鞍馬の天狗さんと高尾の天狗さんが、どうされたんです。デートですか」

梓がそう言った途端、鈴女が梓に掴みかかった。

「な、な、なに言うてんの！　うちと示玖真はんがデートやなんてっ！　そ、そないなこと、ああああるわけないわ！」

顔が真っ赤になっている。

「訂正してや！」

「あ、す、すみません」

「まあまあ……そんなに否定されたらおじさんも悲しいぜ」

示玖真が取りなすと鈴女はぱっと梓から離れた。

「ご、ごめんなさい、否定やなんて、そんな。ただうちはそんなふうに言われたら示玖真はんの迷惑になるんやないかと思って」

「なあに、こんな若くてかわいい女の子とデートだと思われるだけで、迷惑どころかおじさんは嬉しいよ」

「し、示玖真はんはそんなおじさんやありません……」

鈴女がもじもじする。

梓はそんな彼女を見上げて「ああ、これは……」と、示玖真に目をやった。のんきな顔をしている示玖真は彼女の気持ちに気づいているのか？　いや、ないな、これは。

「ああ、いや、こんなコントをしている場合じゃなかったな。坊主、となりいいか？」

示玖真はそう言うと梓が答えるより早くベンチに腰をおろした。鈴女は示玖真の背後に立つ。

「実はな、悪いニュースだ」

「悪いニュース？　いいニュースはあるんですか」

「それはあとでな。ことの発端は京都なんだが」

示玖真は鈴目を振り仰いだ。鈴女はうなずくと、

「京都からモノノケが東京を目指して移動しているんや」と言った。

「モノノケ？」

「付喪神（ツクモガミ）言うたらいいんかな。長い間人間に使われておった器物（きぶつ）に気が宿り、意志を形成するちゅうやつや。魂を持つ、言うてもいい」

わかる？と目で尋ねられ、梓は首を振った。

「はあ……聞いたことはあります」

「そいつが人を襲いながら東京に入り込んだ」

示玖真が身を乗り出す。

「襲いながら……」

「もとは器物だ。だから人の持ち物になる。そしてある程度移動すると、その人間を襲っ

てまた次の人間に取りつくんだ」

「あ」

梓は昼間みせられたスマホの画面を思い出した。

「まさか、山手線通り魔……」

鈴女が薄い眉をひそめた。

「こっちではそう言うてんの？　センスないわあ」

「なるほどな、電車で移動したか」

「昨日池袋で事件が起こったそうです」

「もう池袋に来ているのか」

示玖真と鈴女は顔を見合わせた。

「そのモノノケは何をしようとしているんですか」

梓の問いに、一瞬二人の天狗は黙った。

「示玖真さん……？」

「それがな、……実は目的地は池袋らしい」

示玖真は頭に手をつっこんでガリガリとかいた。

「えっ」

「しかも狙われているのは四神子じゃねえかと俺らは踏んでいる」

「ええっ！」

梓の手からマフラーが落ちた。

「そのモノノケに魔縁が接触した疑いがあるんだ」

「ま、また魔縁……」

「モノノケがなぜ東京を目指しているのかはわからねえが、東京、そして池袋には四神子がいる。魔縁と組んでいる以上、目的はそれとしか考えられん」

「あ、あの」

梓は小さく片手を上げた。

「いい……ニュースってのを聞かせてください」

「ああ、いいニュースなぁ」

示玖真は四角いあごを撫でた。

「とりあえず俺たち天狗が警戒してやるってそれだけなんだ、すまん」

「ああ……」

梓はがっくりと肩を落とした。

「なに、がっかりしてはんの！　一五郎坊示玖真はんが守ってくれるんやで！　こらもう鬼に金棒、天狗に団扇(うちわ)や！　光栄に思わんと！」

鈴女がばしん、と梓の肩を叩く。

「それは……頼りにしてますけど……また魔縁に狙われるのかと思うと、精神的にキツイですよ」

「そうだな、お前は四神子の仮親と言ってもただの人間だ。本来なら俺たちで片づけなきゃならん出来事に巻き込んで悪いと思っている、すまねえ」

示玖真は小さく頭を下げた。それに梓はあわてて手を振る。

「あ、いえ。示玖真さんのせいじゃないですし、悪いのは魔縁です。ただ俺になんの力もないのが悔しいんです」

「なに言ってる、お前ェにだって立派にあるじゃねえか」

「え？　なにがですか？」

示玖真はニヤリと大きな笑みを見せた。

「知恵と勇気、さ」

三

「おそと、いくの！　こーえん、いくのー！」

蒼矢が悲鳴のような声を上げている。梓がしばらくお外にはいかない、おうちで遊ぼうと言ったせいだ。

消極的な策だが、子供たちを狙う怖いモノノケが池袋にいるなら、極力外へ出ないほうがいい、と梓は考えた。

モノノケは人に化けているかもしれない、別な姿をしているかもしれない。人である梓にそれを知る術（すべ）はない。

「蒼矢、示玖真さんたちがお化けをやっつけるまでの我慢だから」

「やだーっ！　こーえんいく！　おそとであそぶー！」

蒼矢は廊下にひっくり返って手足をバタバタと動かした。

「そーちゃん、おにわであしょぼー」

朱陽が蒼矢を誘ってくれるが、蒼矢は頑（がん）として動かない。

「こーえんっ！　あじゅさ、こーえん！」

「蒼矢、我慢して」

「いああっ！　やだやだやだああっ！」

叫びすぎてげほげほ言いながら、蒼矢は床を叩いた。

（蒼矢、ウルサイ）

白花が怒った顔で近づくと、蒼矢はぱっと立ち上がった。

「しらなーのばかっ！　ビリビリくんなーっ」

(梓ノ言ウコトキカナイナラ、ビリビリスル)

「ばかーっ！　あっちけー！」

蒼矢はぱっと走り出し、座敷の方へ逃げた。そのあとを白花が追う。朱陽がきゃははっと笑いながら走り出した。

「おにごっこー！」

蒼矢にしてみれば不本意なのだろうが、鬼ごっこだと言われてしまえば鬼ごっこなのだ。しかも捕まったら白花のビリビリが待っている。

「うわーんっ！」

蒼矢は泣きながら座敷と廊下を行ったり来たりしている。

(蒼矢ノ泣キ虫ー)

「うっしゃいっ！　しらなーのばかっ！　くしょばばーっ！」

洗濯物を畳んでいた梓は、その罵声(ばせい)に思わず振り返った。

「蒼矢、今、くそばばあって言った？」

公園に来ているどの子がそんな言葉を言ったのだろう。とにかく、悪い言葉は蒼矢が真っ先に覚える。これが男の子というものだろうか。

「うーん、俺だってさすがにくそばばあとは言わなかったなあ」

もし母親に言ったら張り倒されているだろう。

「ぎゃーんっ！」

ひときわ大きな蒼矢の泣き声があがる。梓は洗濯物を置いて座敷に様子を見に行った。

すると蒼矢が朱陽と白花の二人によって、文字通り尻に引かれている。

「そーやがくしょばばーってゆった！」

（蒼矢ガクショババーッテ言ッタ！）

女子二人の怒りに触れたようだ。滅多に怒らない朱陽も顔を真っ赤にしている。

「わーん、あじゅさー！」

蒼矢が女の子たちの下で、手と足をバタバタ動かし、なんとか出ようとしている。だが、さすがに二人に押さえられていてはむずかしいようだ。

「蒼矢、悪い言葉使うからだよ」

「だって、だって、おんなはばばーだっ！」

「だって、じゃないでしょ？　そんな悪い言葉を使っちゃだめだよ」

「くしょ、くしょ、くしょっ！　ばばーっ、ばばーっ、ばばーっ！」

「蒼矢！」

とたんに白花のからだから青白い光が放たれた。蒼矢と、一緒に座っていた朱陽まで電撃を受けて「ぎゃっ！」とひっくり返る。

「しーちゃん、なにしゅんの！」

朱陽が白花をどんっと突いた。白花は勢いよく後ろにひっくり返って、ごろごろっと転がる。

「あ、朱陽……」

「しらなーもあえびもばかーっ！」

蒼矢は立ち上がると両手を挙げて飛び上がった。ばしん、と青いしっぽが朱陽を打ち、うろこをきらめかせる龍の姿になる。

「蒼矢、変身しちゃだめ！」

「やったなー！」

朱陽が翼を広げて朱雀に変わった。するどいかぎ爪で、青龍のたてがみをひっぱる。

「朱陽、落ち着いて！」

その朱雀の長い尾に、白い虎が躊躇なく噛みついた。

「白花ー！」

さながら怪獣大戦争、赤と青と白の獣たちが、唸り、叫びながら絡み合っている。

「みんな、やめなさい！」

梓はその中に飛び込み、竜の長い胴体にしがみついた。

「やめろってば！」

龍の頭を抱え込んで自分のからだの下に隠す。攻撃対象がいなくなって、朱雀（すざく）がバサバサと床の間に降りた。白虎（びゃっこ）もぱっと龍から離れ、廊下でぜいぜいと毛の逆立った背中を波うたせている。

青い竜はまだ梓の腕の中でじたばたしていた。尻尾が何度か梓のからだを強く打ったが、梓は腕を離さなかった。

やがて、竜はぐったりと畳の上に伸び、溶けるように小さな男の子の姿に変わった。その頃には朱雀も白虎も人間の姿に戻っていた。

「はー……」

「蒼矢、怪我してない？」

梓は蒼矢を抱いたまま、そのからだを膝の上に乗せた。

「……」

蒼矢はぷいっとそっぽを向く。その丸い頬とむき出しの膝に擦り傷が出来ていた。

「朱陽も白花も痛いところない？」

「ない……」

（……梓、ゴメンナサイ）

女の子二人はしょんぼりしていた。

四獣の姿での喧嘩はめったにしないが、一度変身してしまうと我を忘れてしまうようなところがある。梓のからだを張った制止がないと、止まらない。

「あじゅさはいたくない？」

「うん、大丈夫だよ。でも、四獣の姿で喧嘩はだめだよ。その姿はとても神聖なものなんだ」

「ごめんちゃい……」

（ゴメンナサイ）

蒼矢は口をへの字にしたままだ。

「蒼矢、白花と朱陽にごめんなさい、って言って」

蒼矢が弾かれたように顔をあげ、梓を睨んだ。

「なんでっ！　しらなーがビリビリだからじゃん！」

「二人にいやなこと言ったでしょ」

「ゆってない！」

「ゆったー！」

朱陽が叫ぶ。

（クショババーッテ言ッタ）

白花も念話で答える。

「しらなー、じぶんでくしょばばーいった！　くしょばばー、くしょばばー！」

蒼矢の暴言に、バチッと白花の周りで火花が散る。梓は白花に手を挙げた。

「白花、だめ」

白花がくやしそうに唇を歪める。

「蒼矢、人のいやがることはしちゃいけないって言っただろう？　蒼矢はおりこうだからわかったって言ったじゃないか」

「ちんないもん！」

たっと蒼矢は梓の膝から降り、居間の方へ駆けていく。梓はため息をつき、白花と朱陽に手を伸ばした。

「おいで、ふたりとも」

二人の女の子がおずおずと近寄ってくる。梓は右と左に二人を抱いて頭を撫でた。

「蒼矢を許してあげてね。ほんとにふたりのことをそんなふうには思ってないから」

「くしょばばーって……」

「うん、ひどいこと言うね」

「そーや、きらい」

「そんなこと言っちゃだめ」

（蒼矢、キライ）

「白花も」

「あじゅさはしゅきー」

朱陽が甘えるように梓の首にしがみついた。それを見て白花も慌てて真似をする。

「うん、梓も二人が好きだよ」

朱陽がうふふ、と笑う。白花も恥ずかしそうに笑った。

この二人はもう大丈夫だろう。しかし、蒼矢はどうするか……。

ふと顔を上げると寝ていると思った玄輝が座敷に来ていた。

「玄輝、ごめんね、起こしてしまった？」

「……」

玄輝は黙って玄関の方を指さした。

「え？　誰かきたの？」

「……」

首を振る。しかし指は玄関を指したままだ。

「！　まさか！」

梓は玄関へ走った。ガラス戸が少し開いている。そして蒼矢の靴がない。

「そ、蒼矢、外へ出たのか！」

今まで一人で外へ出たことのない子だったのに。

梓は急いで追おうとしたが、はっと思い止まった。家に子供たちだけを残していくのも心配だ。

台所にとってかえし、水道の蛇口をひねる。手を水にいれて、濡れた指で文様を描いた。

「――なんのようだ、羽鳥あず……」

「翡翠さん！　留守番お願いします！」

翡翠の姿が全部現れる前にそう言うと、玄関に走る。

「お、おい、ちょっと待て！　どうしたのだ」

「蒼矢が一人で外へ出てしまったんです、モノノケがいるのに！」

「モノノケだと？　――おい、待て！」


蒼矢は家の前の道をしゃにむに走った。頬の涙はまだ乾いていない。

白花のビリビリも痛かったし、朱陽の爪も痛かった。なのにどうして自分がごめんなさいを言わなければならないのか、わからない。

くそばばーという言葉がそんなに悪い言葉だとは思わなかった。公園で自分より大きな子供たちはいつだって言っている。くそばばーって言葉は面白い。とくに「ばー」って伸びるところがいい。

「ばか」よりもっと強い言葉。女の子を打ち倒す言葉だ。

白花も朱陽もあの言葉がきらいだ。だからもっと言う。

梓だって言えばいいのだ。

「あっ」

ずるっと靴が地面を擦って転んでしまった。さっき白花に噛まれたひざを強く打ち、蒼矢の目に新しい涙が浮かんだ。

「うう、う、ぅ――うえーえ――……」

蒼矢は地面に顔を伏せて泣いた。痛くて悲しい。一人だから助けてもらえなくて悲しい

――

「あらあら、蒼矢ちゃん、どうしたの?」

うろたえた声が聞こえた。背後から抱き起こされ、からだを回される。目の前にいたのは隣の家の仁志田夫人だった。

「蒼矢ちゃん、よね? どうしたの? ひとりなの? あらあら、おひざに怪我しちゃってるじゃない」

「ううう――うあーぁーん、うあーぁあ――」

蒼矢はかおをくしゃくしゃにして泣きだした。自分を心配してくれる、優しい声と手にほっとしたのだ。

「おうちにいきましょう。お水で洗って消毒しなきゃ」

仁志田夫人は蒼矢の頭を優しく撫でた。

「お、おうち、い、いや」

蒼矢はしゃくりあげながら言う。

「うっ、うえっ、えっ、あえびと……っ、しらなと……、えっく、けんかっ、してゆ」

「あらあら、兄弟喧嘩中なの。困ったわね」

夫人は蒼矢の頭を撫でた手で、地面に置いていたものを拾い上げた。

「じゃあ、おばあちゃんのおうちに行く？　そこで絆創膏(ばんそうこう)貼ってあげるから」

「……！」

蒼矢はそのとき、脇の下を冷たい手で撫でられたような気がして、びくっとすくみあがった。あわてて仁志田夫人から一歩離れる。

「どうしたの、蒼矢ちゃん」

夫人は首をかしげて蒼矢を見つめた。右手になにか持っている。

「おばーちゃん……」

蒼矢は小さな声で言った。

「そえ、なあに？」

「あ、これ？」

夫人は手に持ったものを見てにっこりした。

「さっき、ごみ捨て場で拾ったの。まだきれいだから使えるんじゃないかって思って」

それは楕円形の面にほっそりした持ち手がつき、全体を黒漆で仕上げ、美しい蒔絵(まきえ)がほどこされた――

「手鏡よ」

「鏡のモノノケだと？」

梓と一緒に走りながら翡翠が言う。

自宅には紅玉が残っている。蒼矢を探す方が大変だと思った翡翠が呼び出したのだ。

「示玖真さんたちがそう言ってました。平安時代頃に作られた手鏡で、江戸時代くらいには付喪神になったそうです。今まで大人しかったそれがどうしたわけが、急に人を襲いだしたって」

「人を襲いながら京から江戸に――。確かに手鏡なら人から人へ渡ることも可能だろう」

梓はチラッと空を見上げた。

「示玖真さんたちがパトロールしてくれているとは思うんですけど、怖いからしばらく家に引きこもろうと思ってたんです。でも蒼矢が……」

「あの子は青龍だからな。束縛を嫌う。部屋の中でじっとしているのは無理だろう」

梓は唇を噛んだ。

「まさか一人で外に出るなんて……。わがままだけどけっこう臆病（おくびょう）だからそんなことしないと思ってたのに」

「子供をみくびるな、羽鳥梓。なにをしでかすかわからないのが子供だ」

したり顔で言う翡翠に梓は苛（いら）ついて叫んだ。

「いや、そう――それって……そのとおりですけどぉ！」

「おばーちゃん……」

「なぁに？　蒼矢ちゃん」

「そえ、ちゃい、して」

「え？」

「そえ、だめよ。そえ、こあいよ……」

蒼矢はじりじりと仁志田夫人から離れてゆく。夫人は泣きだしそうな蒼矢の顔と、手にした鏡を見比べた。

「蒼矢ちゃん、鏡が怖いの？」

「こあくないもん、でもそえはだめなの！」

夫人は困ったような顔になった。

「ごみ捨て場から持ってきたから？　でも鏡の面(おもて)も全然曇ってなくてきれいだし――」

夫人は鏡の面を見た。そこには自分の顔がくっきりと映っている。いつも使う三面鏡や、洗面台の鏡よりはっきり見えた。

ところが次の瞬間、その顔が真っ黒になり、目鼻もなくなったのっぺらぼうが、鏡の中から飛び出した。

「きゃあっ！」

夫人は鏡を取り落とした。しかし、鏡は地面に落ちる前にくるくると回ると、そのまま上空に飛び上がった。

鏡の中から飛び出した黒いものは、立ちすくむ蒼矢に飛び掛かろうとした。

「蒼矢ちゃん！」

だが、それより早く、仁志田夫人が蒼矢の身体を地面からもぎ取るようにして腕の中に抱えた。

「おばーちゃん！」

「いた！」

梓と翡翠は通りに仁志田夫人と蒼矢がいるのを見つけた。うずくまった仁志田夫人の上に黒いものがへばりついている。

それはうねうねと動き、仁志田夫人の腕から蒼矢をもぎ取ろうとしているように見えた。

「蒼矢から離れろ！」

翡翠の手から細い鞭のように水が放出される。水は夫人の上の黒いものを弾き飛ばし、そばの電柱にぶつけた。

「蒼矢！」

梓が飛び掛かるようにして二人の上に覆いかぶさる。

水で弾かれた黒いものは、電柱を伝って上まであがると、上空にいた鏡の中に吸い込まれた。

（邪魔……スル、な……）

背骨を銀紙で擦られるような、ぞっとする念が頭に響く。空に浮かぶ鏡の言葉だと、梓にもわかった。

（四神の子……その子の……力がイル……）

「なにが目的だ！」

翡翠が鏡に鋭く水を飛ばす。だが、鏡は器用にそれを避けた。

（人に……なるノダ……）

「なんだと？」

（千人の……人の姿を……映シタ……あとは……を奪えバ……）

鏡は一度くるりと回ると、にじむように姿を消した。

「逃がした！」

翡翠が辺りを見回す。

梓は仁志田夫人を抱き起こした。

「仁志田さん！　大丈夫ですか？」

「ああ……あたしは……。蒼矢ちゃんは……？」

蒼矢は梓にしがみついた。さっと見て、どこにも怪我がないことを確認する。

「大丈夫です、仁志田さんが守ってくれたおかげです」

「あたし……あたし、なにか変だわ……」

仁志田夫人は額に手を当て、呆然とした表情で言った。

「なにか、なにか変……、胸がざわざわする……ぼうっとするし……なんだか……」

「す、すぐ救急車呼びます、しっかりしてください」

「……羽鳥梓」

うろたえる梓の肩を翡翠が掴んだ。

「救急車はだめだ」

「え？　な、なんですか」

「人間の医者には治せない、この女は大事なものを奪われた」

「え――」

翡翠は指で地面を指した。

「お前の足元にあってその女の足元にないものがある」

梓は自分と仁志田夫人を見比べ、はっと顔色を変えた。

「わかったか？」

「――影、が」

梓の足元には昼の太陽に照らされ黒々と影が落ちている。だが。

「影がない……！」

仁志田夫人の足元にはなにもない。まるでその身体がそこに存在しないもののように。

四

梓と翡翠は仁志田夫人を自宅へ運んだ。仁志田家に連れていっても仁志田氏を驚かせるだけだと翡翠が言ったからだ。

梓は公園でのママさんたちの話を思い出す。

被害者の状態が報道されないのは、彼女たちも影を奪われたからではないだろうか？

こんな状態では病院へ連れて行くことも、正式な被害届を出すこともできないだろう。

影が奪われる、というのは現実ではあり得ない。物理的に説明のできることではない。

「どうすればいいんですか？　仁志田さんは蒼矢を庇ってこんな目に遭ってるんです、なんとか影を取り戻さないと」

仁志田夫人は座敷に布団を敷いて寝かされている。肌には血の気がなく、呼吸もひどくゆっくりとしていた。

蒼矢はそんな夫人の足元に座っていた。いくら幼くてもわかっている。仁志田夫人がいなければ自分が影を奪われ、こんなふうになっていただろうことを。

「おばーちゃん……」

泣いていた自分に優しい言葉をかけて頭を撫でてくれた。蒼矢は青龍なのに、強いのに、おばあちゃんを守ることができなかった。ぎゅっと抱きしめられ、かばってもらった。

「そーちゃん……」

朱陽と白花が座敷を覗いた。

「おばーちゃんは……？」

「……」

　蒼矢は答えなかった。答えられないのだ。

「おばーちゃん、すいしぇん、くえたの……」

（オ花、マタ見ニキテネッテ言ッテタ）

「そーちゃん……」

　二人の少女はうずくまる少年のそばに寄った。

「そーちゃん、なかないで」

（オバアチャン、キットオッキスルカラ）

　小さな手が頭や肩に優しく触れる。蒼矢は立てた膝の上に顔を伏せ、両手で顔を隠して泣き続けている。

「……」

　梓はそんな蒼矢や朱陽たちを残して、そっと襖を閉めた。

　庭に高尾の示玖真と鞍馬の鈴女が降りてきた。他にも数人の天狗がいる。梓は部屋の中を紅玉に任せて、翡翠と庭に出た。

「すまん、西池袋の方を回っていた」

「江戸の治安を守るのが高尾天狗の勤めではないか、なにをのんきに」

翡翠が厳しく言うと、鞍馬の鈴女がさっと六尺棒を構えた。

「なんや、やぶからぼうに！　お前かて、モノノケ逃がしてしもうたくせに！」

「やめろ、鞍馬の」

示玖真が鈴女を制す。

「まったく面目ねえ」

素直に頭を下げた示玖真に、翡翠も声のあげどころを失ったようだ。

「まあ、わたしも言われる通り逃がしてしまったのだが……」

「あのモノノケ、空を飛んで、消えましたよね」

梓が翡翠に言う。

「メディアでは山の手線通り魔とか言われてて、今まではＪＲで移動していたんでしょう？　空を飛べるならどうしてそんな面倒なことをしてたんでしょう？」

「単に今までは空を飛ぶだけの力がなかったんじゃねえかな」

示玖真が四角い顎を撫でながら言った。

「人を襲うたびに影を吸収して力をつけていったんだ」

「影ってそんなに力があるんですか？」

梓は足元の自分の影を見て言った。普段は気にもとめないようなこの影。

「そりゃあそうだ。そのモノの存在の証のようなものだからな」

「あの、あいつは人になる、と言ってました」

梓の発言に天狗たちはぎょっとした顔をした。

「私も聞いた。千人の人の姿を映した、と。あとは何かを奪えば、と。影のことか」

翡翠も梓にうなずきながら証言した。

「人の姿を映して人の姿を得、影で実体化しようとしてやがるんだな」

「そんなことができるんですか？」

「どうなんだ？」

梓の問いに、逆に示玖真は翡翠に聞いた。

「お前ェさんも元は水の気から生まれたんだろ。その人型はどうやって得たんだ」

「私の姿はタカマガハラで頂いたものだ。そんな邪法で得たわけではない」

翡翠は気分を害したようで、吐き捨てるように言う。

「邪法か……。やっぱり魔縁だな。やつがあの鏡に吹き込んだんだ。おそらく仕上げに四神子の力を使えと言ったんだろう」

「許せん。そんな邪法に子供たちを使うなどと」

「そやけど相手は空飛んだり消えたり出たりするモノノケやで。どないして捕まえればいいんやろ……」

つんつん、と服のすそをひっぱられた。下を見ると玄輝が立っている。

「どうしたの、玄輝」

梓がそう言うと、玄輝は両手で持っていたＤＶＤケースを差し出した。

「なに？　オーガミオーなら居間で紅玉さんに見せてもらいなさい」

しかし、玄輝はぐいぐいとそのＤＶＤを押しつける。仕方なく梓はケースを受け取った。

「これって……オーガミオーの二二話……オトリ大作戦……」

「オトリ？」

「囮（おとり）？」

はっと大人たちが玄輝を見た。

「まさか、玄輝、モノノケを捕まえるために囮になるって言ってるんじゃ」

「ばかな！　そんなことさせられるか！」

「オトリになりゅー！」

縁側で蒼矢が叫んだ。

「そーやがおとりになりゅ！　そんでおばけ、ちゅかまえりゅ！」

「な、なにを言っているのだ、蒼矢！」

翡翠が悲鳴を上げた。蒼矢は拳を握りどんどんと廊下を片足で踏んだ。

「おばーちゃんのかたき、うちゅ！　おとりだいちゃくちぇん！」

「だ、だめだ！」

「おーい、翡翠」

縁側から膝をついて紅玉が声をかけた。

「蒼矢の気持ちもわかってやれや。蒼矢だって男なんやもん、庇われているだけじゃたまらんわ」

「何を言ってるのだ、紅玉！　我等(われら)の役目は四神子を護ることではないか！　そんな危ないことをさせられるか！」

「ひーちゃはだまってゆの！」

蒼矢がびしっと翡翠を指さす。

「そーやがきめたの！　だからやんの！」

「そ、蒼矢……」

翡翠がふらふらっとからだを揺らし、地面に膝をつく。

「蒼矢、これは遊びではない。相手はモノノケなのだ、たくさんの人を襲って影を奪う、怖い相手なのだぞ」

「そーや、あしょんでないもん！」

「――翡翠さん」

梓はしゃがみこんだ翡翠の肩に手を置いた。

「蒼矢にやらせてやってください」

「な、なにを言ってるんだ、羽鳥梓！」

翡翠は息が止まりそうな顔で振り向いた。

「蒼矢に悔いを残したままにさせたくないんです。それに、」

梓は周りの大人たちを見ました。

「天狗のみなさんに、翡翠さんに紅玉さん。これだけいて負けるわけありません。準備さえちゃんとやれば、大丈夫ですよ！」

「坊主……」

梓は示玖真と鈴女に笑いかけた。

「頼りにしてますよ」

「――わかった」

「うちも、やるわ」

示玖真と鈴女はクルル……と手にした六尺棒を回すと、ドン、と地面に打ちつけた。

「おびき出せれば絶対に逃がさん！」

仁志田夫人が目を覚ましたとき、周りに四人の子供たちがいた。夫人は頼りない視線でうろうろと四人の顔を見つめ、かすかに微笑んだ。

「あらあら……みんな……いるのね……」

「いりゅよー」

「おばーちゃん、げんきしてねー」

蒼矢と朱陽が声をかける。白花は夫人の柔らかな髪を撫でた。

「おばあちゃんね……なんだかへんな感じなの……さっき怖い夢を見たからかしら……」

夫人はぼんやりと天上を見上げた。

「おばあちゃん……ここにいるかしら……？　なんだかね……自分がだんだん溶けてなくなるような……ここにいないような……」

こうこうと明るい蛍光灯の下、横たわる夫人の下に影はない。まるで誰も、何も、そこにはないかのように。

「いりゅよ！」

蒼矢が夫人の耳元で大きな声を出した。

「おばあちゃん、いりゅよ、ここにいりゅよ！」

「おばーちゃん、いりゅよ！」

四人はてんでに夫人の手を握ったり、顔を触ったりした。少しでも現実味を持ってもらおうとするかのように。

「おばーちゃん、なでなでして」

蒼矢が頭を突き出す。仁志田夫人はおっくうそうに、それでも布団から手を出して、蒼矢の丸い頭を撫でた。

「いたくないよー」

「蒼矢ちゃん……もうお膝痛くない……？」

「そう？　もう泣いてない……？」

「ないてない、ないてないよ」

「朱陽ちゃんや白花ちゃんと……けんか……」

「もう、ちてない！」

朱陽はそう言うと顔を突き出した。仁志田夫人は微笑んだ。

「……けんか……してもいいのよ……でも、仲直りしてね……」

「ん、」

朱陽はぐいっと蒼矢の腕を強引に自分の方に引き寄せた。蒼矢は朱陽を見て、それから自分でも朱陽の腕に自分の腕を絡ませる。

「なかなおり、ちたよー！」

夫人は笑った。そのあと、疲れたのか目を閉じた。瞼は青く、ぴくぴくと震えている。

「……」

朱陽はぎゅっと蒼矢の手を握った。白花も腕を伸ばして蒼矢の手を握る。玄輝もその上に手を重ねた。

蒼矢が力強く言う。

「しじゅーせんたい、おーがみおー、はっちん！」

「梓はん」

蒼矢と出かける用意をしていた梓の元に、西の天狗、鈴女が駆け寄ってきた。

「世話をかけてかんにんな。人間のあんたに囮の役目なんかさせて」

「俺はたんに蒼矢のつきそいですから」

梓は金髪の少女に笑いかけた。

「鈴女さんたちが守ってくれるとわかっているから大丈夫ですよ」

「ほんまにかんにん……ウチらが京都であいつを仕留めておければよかった、ちゅー話やねん」

鈴女は長いまつ毛を伏せた。

「そしたら示玖真はんの手を煩わせることもなかったんや。うちはそれが悔しくて悔しくて」

「でも示玖真さんと一緒に戦えるじゃないですか」

「な、なにを抜かすんや！」

鈴女の頬がかあっと赤くなる。

「し、示玖真はんがなんやて……」

鈴女はどうして天狗になったのだろう、と梓は思った。こんなにかわいい普通の女の子なのに。天狗の家系に生まれたのか、それとも示玖真と同じように、なにか理由があるのだろうか。

「示玖真さんにちゃんと言ったらどうですか？　あの人、強いですけど、そういうのにはすごく疎そうな感じですし」

「あ、あほう！」

鈴女は飛び退った。

「よけいなこと言うんやないよ！　う、うちは示玖真はんのお手伝いができればそれでええんやからな！」

ばたばたと走り去ってゆく少女を見て、梓は鈍いおじさんをちょっぴり羨ましく思った。

夕方になって、梓は蒼矢と二人で公園に来た。空はまだ明るいが、気温は少し低くなっている。カラスが何羽か、カアカアと鳴き声を響かせながら公園の高い木の上に降りる。巣があるのだろうか？

「蒼矢、怖くない？」

「こわくない」

蒼矢はぎゅっと梓の手を握った。

「……うしょ、ほんとはちょとこわい」

「うん、それでいいんだ。怖さを認めないと本当には戦えないと思う」

梓も蒼矢の手をぎゅっと握り返した。

「ん……」

「もにょんけは……」

梓と蒼矢は公園の隅にあるベンチに座った。

「え？」

「もにょんけはどちてわるいことすんの？」

「んー……」

梓は空を見上げた。上の方には青い色があるが、下の方から徐々に暗くなってきている。夜に落ちるのはすぐだ。公園にはまだちらほらと人の姿があるが、みんなじきに帰るだろう。

「モノノケは人になりたいって言ってた」

「ひとに？　どちて？」

「さあ、梓にもわからないよ」

「ごはんたべゆから？」

「そうかもしれないね」

「おはなししゅるから？」

「そうかもね」

器物が魂を持ち、それだけでなく人の姿をとりたいと願う。長い長い時を経て、なぜその望みを得たのだろうか？

人になれば病気になったり年をとったりする。働かなければお金は手に入らず、金がなければ食べることもできない。いやなこと、悲しいこともたくさんあるだろう。なのに、何故？

――人にならなければ得ることができないものがあるのだろうか？

公園から人の姿が消えた。あたりはすっかり薄暗く、足元に砂を捲いた風が立つ。

「あじゅさ！」

蒼矢がぴょこん、と立ち上がった。公園の入口の方から誰かがやってきた。

「おばーちゃんだ！」

「え……っ」

入口付近できょろきょろしているのは確かに仁志田夫人だ。こちらに気づいて手を振りながらやってくる。

（仁志田さん？　具合はもういいのか？）

「おばーちゃん！」

蒼矢はベンチから飛び下りると、仁志田夫人の元へ走った。

「そ、蒼矢ちょっと待って！」

梓は慌ててそのあとを追う。仁志田夫人の姿にわずかな違和感を感じる。

蒼矢が仁志田夫人のそばに駆け寄る。夫人は地面に膝をついて蒼矢に向かって手を広げた。梓は目を見開いた。違和感の正体がわかったのだ。

「蒼矢、違う！　その人は仁志田のおばあちゃんじゃない！」

はっと蒼矢の足が止まった。途端に仁志田夫人の両腕が伸び、蒼矢を取り込もうとする。

「ちゃいっ！」

蒼矢の指先から植物の蔓（つる）が飛び出し、その腕を弾いた。

「モノノケだ！」

梓の叫び声と同時に、公園の木々から黒い翼の天狗たちが、いっせいに飛び出した。

「公園に結界を！　翡翠、上を封じろ！」

示玖真の声で上空が氷でできたドームで覆われた。水精の力だ。天狗の六尺棒が四方からモノノケめがけて降ってくる。

仁志田夫人の姿を捨てて真っ黒な影法師となったモノノケは、空に飛び上がり、しかし、氷に阻まれて地面に落ちた。その身体にさらに六尺棒がドドドッと打ち込まれる。

「鏡を！　モノノケの本体を探せ！」

天狗たちが動く。梓は蒼矢を抱きかかえて入口に走った。オトリとしての役目は終わった。あとは戦闘のプロに任せればいい。

「あじゅさ、あえ！」

梓の肩の上で蒼矢が叫んだ。身を乗り出して指さしている。振り向いた梓の目に、キラリと黄昏(たそがれ)の最後の太陽を反射して輝くものが見えた。

それは木の上に作られたカラスの巣だ。

「鏡、あそこか！」

梓が叫ぶのと同時に木々が激しく動き、枝からカラスの巣を振るい落とした。蒼矢が青龍の力で植物を動かしたのだ。

「そこか！」

示玖真が地面に落ちた巣めがけて飛びつく。だが、それより先に、黒い鏡が飛び出した。まっすぐに梓と蒼矢に向かってくる。

天狗たちの六尺棒が飛ぶ、鎖の分銅が飛ぶ。

鏡から無数の黒い影法師が飛び出した。それらは天狗に飛び掛かり、動きを封じようとする。

「モノノケの分際で！」

鞍馬の鈴女が特攻服の内側から板状のものを取り出した。右手を振るとそれがバサリと開く。美しい絵の描かれた桧扇だった。

「なめんな！」

扇を振るうと突風が巻き起こり、影法師が飛ばされてゆく。

梓は蒼矢を抱いたまま、膝をついて、その風に耐えた。

鏡もまた風にあおられ、軌道が逸れた。

「蒼矢、あの鏡、捕まえられる!?」

梓が叫ぶと、蒼矢は手を伸ばした。五本の指から五つの蔓が飛び出し、くるくると回った鏡を縛り上げる。

「でかした！」

頭上を黒い影がよぎった。示玖真だ。

示玖真は振り上げた六尺棒を、鏡に向かって振りおろした。

――ギャ、ア、アアア――ッア――

ガラスをとがった石で引っかくような、耳が痺れるような悲鳴が聞こえた。

同時に沸いていた影法師が消える。

「さあ、お前が操っていたやつは消えたぞ！　出てきやがれ、腐れ外道！」

示玖真が六尺棒をくるりと回して叫んだ。

「四神の力を使えと付喪神をそそのかし、最後においしいとこをさらって行こうとしたんだろうが、そうは問屋がおろさねえぜ！」

その声に応えたかのように、公園の木々からカラスが舞い上がる。そのカラスが集まって、一体の大きな鳥の化け物になった。みっつの頭を持ったその鳥の胴体に、巨大な目がぎょろついている。

「出たな」

天狗たちが六尺棒を構える。

鳥の化け物は梓とその腕の中の蒼矢に、凶暴な目を向けた。

(四神子ヲ寄越セ！)

大きな羽根を振るい、突進してくる魔縁の前に、分厚い氷の壁が出現した。魔縁はとっさに方向転換も出来ず、その氷に激突する。

「神子に手出しはさせん！」

翡翠が蒼白な顔で氷を操っていた。

「よくやった、翡翠！」

天狗たちが同時に飛び掛かる。烏の化け物は翼を広げ、そのくちばしから激しい炎を噴出した。しかし猛烈な勢いで回る六尺棒が、その炎を蹴散らしてゆく。

「覚悟しやがれ！」

天狗たちはよく訓練された動きでいっせいに六尺棒を振り下ろした。激しくなにかを打ちのめす音がして、黒い羽根の向こうで悲鳴が聞こえた。

「よっしゃあ、終わった！」

バサリと翼を振って示玖真は地面に降り立つ。

「蒼矢あああっ！」

翡翠が泣きそうな顔で駆け寄ってきた。

「大丈夫だったか！　無事だったか！　立派だった、立派だったぞお！」

翡翠が蒼矢を抱きしめると、上空を覆っていた氷のドームと氷の壁が、サラサラと砕け始めた。それは小さな粒になり、梓や天狗の周りをきらきらと輝きながら落ちてくる。

「……示玖真さん」

梓は蒼矢を翡翠に預け、示玖真のそばによった。示玖真は地面から何かを拾い上げていた。それは古い鏡だった。裏に美しい蒔絵をほどこした、ただの器物。

その表面の鏡は割れて大方の破片はなくなり、小さな欠片（かけら）がへばりついているだけだ。

縁にある三角形の破片に示玖真の口元が映っていた。

「この鏡が……」

「そうだ、モノノケになったやつだ」

（──ヒト、ニ……）

鏡に映った示玖真の口が動いて、声が聞こえた。梓はぎょっと示玖真を見たが、その唇は結ばれている。

（ヒトニ、なりタカッタ……千人の人の姿ヲ映して……人にナレルはずだった……人の影を手に入れて……四神の子の力を得れば……）

「それは魔縁の嘘だ。四神の力を持ってしても、お前ェは人にはなれねえ。お前ェは利用されただけだ」

示玖真が静かに言う。

（ヒト……ニ……）

「──人になったっていいこたぁねえさ」

どことなく気の毒そうに示玖真が答えた。

（ヒトには……わからぬ……自分の意志で……泣き笑う……ヒトには……）

「お前ェ、笑いたかったのか？」

示玖真が呟いた。

梓は鏡を見つめ、そっと囁いた。

「千人もの人の笑顔を映して……笑いたくなったんだね。君は長い間さぞかしいろんな人をきれいに映したんだろうね。えらかったねえ。ご苦労さま……」

鏡に残った欠片に映った示玖真の口元がゆるく笑った。それは示玖真の笑みではないことは、見なくても梓にはわかった。

キンッと音がして、その破片にヒビが入った。

ぱぁん――……

鏡は粉々に砕け、表には光る部分は無くなってしまった。

「千年の付喪神も、最後はあっけないもんだな」

示玖真はくるりと鏡をまわし、それを懐にしまった。

終

公園で鏡を砕いたのと同じ頃、自宅で仁志田夫人が目を覚ました。顔色も元に戻り、もちろん蛍光灯の光の下には、黒々と影ができていた。

夫人には貧血を起こしたらしい、という説明で帰ってもらった。朱陽と白花が夫人を仁志田家まで送っていった。

おそらく、モノノケに襲われたすべての被害者たちにも、影は戻ったことだろう。

梓は示玖真や鈴女、他の天狗たちを家へ招待した。山に帰る前に、軽く一息いれてもらおうと思ったのだ。

コンビニで六本入り缶ビールを三つほど購入し、座敷でいっせいにプルトップを開けた。

「お疲れさまですー！」

天狗たちはまるで水を飲むようにビールを煽った。

「坊主、よくあのばあさんが偽物だとわかったな。俺らも一瞬躊躇した」

示玖真の言葉に梓は照れて頭をかいた。

「ああ、ブラウスのボタンが逆だったんです。普通は左上でしょう？　でも鏡が化けたものだから、右が上になっていたんですよ」

「なるほど、聞いてみれば簡単な理由だな」

「でもまあ今回の一番のお手柄は蒼矢ですよ」

梓は膝の上でそっくり返っている蒼矢の頭を撫でた。

「オトリになっただけでなく、鏡をみつけたり巣をたたき落としたり、えらかったね」

「そーや、ぶるーどあごんだもん！」

蒼矢は両手を上げた。

「おばけなんかやっちゅけるもん！」

「うん、蒼矢、強い強い」

「まったくだ！　蒼矢には感心した！」

缶ビールを片手に目を潤ませている翡翠がいる。

「いつのまにこんなに立派になったのだ……ああ、子供たちは日々成長しているのだなあ」

「お前泣き上戸（じょうご）やったんか。うっとおしいからあっちへ行ってろ」

紅玉に冷たく言われても翡翠は平気だ。

「蒼矢」

梓は膝の上の蒼矢を軽く抱きしめた。

「ん、」

「蒼矢は今回おばけ退治がんばったね。でもあとひとつ、がんばらなきゃいけないこと、あるね」

「あとひとちゅ？」

「朱陽と白花にいやなこと言ったの……謝ることができる？」

「……」

蒼矢は朱陽と白花を見た。

仁志田夫人の前では手を取り合ったが、ちゃんと言葉にして謝ってはいない。

「蒼矢は……朱陽や白花、仁志田のおばあちゃんにも、あんなこと言うかい？」

「……」

蒼矢は梓の膝から降りると、女の子たちの元へ行った。朱陽と白花は黙って蒼矢を見上げている。

「あえび、しらなー……」

蒼矢は二人の前に立つとちょっともじもじしていたが、ぴょこんと頭を下げた。

「ごめん、ちゃい」

女の子たちの顔がぱっと輝く。

「そーちゃん、しゅきー！」

（蒼矢、イイコ）

朱陽と白花が蒼矢に抱きつく。

「ああああっ」

翡翠の涙腺が決壊した。眼鏡を水で曇らせて、三人を抱きしめ号泣している。

「なんていい子たちなんだ……！」

「翡翠、うるさい」

「坊主……」

「はい」

示玖真が三本目のビールを開けた。

「お前ェ、モノノケに優しかったな」

「そ、そうですか？」

「ああ、あいつがあんなに素直に消えたのは、お前のおかげだろう」

梓は最後の光を放っていた古い鏡を思い出した。

「……笑いたかったから人間になりたかったんだって聞いて……」

「アレは最後に笑ってた」

「ええ」

梓は顔をあげて閉まっている窓を見た。ガラスに自分の顔が映っている。

「鏡っていうのはかわいそうですよ。人は美しく映った自分はほめますが、映してやってる鏡はほめてもらえないんだから」

「確かにな」

「……ほめられれば嬉しいでしょう？　嬉しければ笑うものです。笑えてよかったな……」

視線を向ければ蒼矢と白花、朱陽が笑いあっている。少し離れた場所で玄輝がオーガミオーの絵本を転がったまま読んでいる。

示玖真の背後で鈴女が大人しくビールを飲んでいる。チラチラと視線を示玖真に送っている。

「そういえば鈴女さんも大活躍でしたよね」

梓は示玖真にそう言ってみた。示玖真はそれで初めて気づいたように、後ろを振り返って鈴女を見た。

「そうだな、鞍馬の。今回は助かったぜ」

ぶっと鈴女がビールを吹き出す。

「そ、そ、そんな！　示玖真はんの足手まといにならんかっただけでも、うちは……」

「今度、鞍馬の僧正坊さまのところに挨拶にいくぜ」

「ほ、ほんまですか？　そしたらうち、めいっぱいおもてなしさせていただきます！」

鈴女の顔が酒だけではない朱さに染まっている。その顔はとてもかわいらしかった。

四神子たちの笑顔、天狗たちの笑顔、翡翠や紅玉の笑顔……。

笑顔に囲まれて梓も笑顔になる。

人だけがその面に映す、大切な笑顔だ。

第四話 神子たち、バイトをする

序

梓は朝から通帳を見てため息をついていた。

昨日、買い物の帰り、ATMに寄って記帳してきたのだ。その時、印字された数字にショックを受けた。通帳の残高が四桁(けた)になってしまっていたのだ。

「見直したって数字が変わっているわけじゃないんだよなー」

何度見ても、残金は四桁。

二月にアマテラスに雇われて、その月に支度金、三月には給料が振り込まれた。しかし、四月の振込までこの数字でやりくりするのは無理だ。間に合いそうにない。

二四万円なんて、上京してから初めて手にする大金だったのだが、四人の子供たちを育てる毎日では、あっと言う間に消えてしまう。

「とくに食費だよね……」

梓は横目で庭で遊ぶ子供たちを見た。さっきまで大騒ぎして朝御飯を食べていたのだが、その内容は白米三合になべいっぱいのお味噌汁、卵八個分の玉子焼きにレタス丸まる一個とトマトが五個。

もちろん、子供たちには白米と水さえ与えておけばいいのだが、人間の姿で人間の世界で生活する以上、いろんなものを食べられるようになっていないといけない。

それに、せっかく味を覚えたのなら、おいしいものを食べさせたい。魚に肉に野菜に果物、甘いもの、からいもの、すっぱいもの。

初めて食べるものに子供たちは大騒ぎする。その姿もかわいいし、嬉しい。

「そう思って……最近いろいろ買いすぎたんだよなー」

食料だけではない。翡翠がうるさいので最新式の踊り炊き炊飯器や、調理のための多機能電子レンジ、大量の洗濯物のためのドラム式洗濯機……。

「家電の買いすぎだ！」

今後はクーラーもいるだろうし、たくさんの部屋を掃除するための新しい掃除機も必要だろう。

「二四万って、じつは全然足りないんじゃあ……」

子供四人を育てるっていったいいくらかかるんだろう？

アマテラスさまに給料の値上げを要求してもいいだろうか……。

一

梓は子供たちをカートに乗せてさくら神社へやってきた。アマテラスの神使(しんし)の御神鶏(ごしんけい)、伴羽(ともは)と呉羽(くれは)に聞いてみようと思ったのだ。

神社は梓が三日に一度掃除をしている。最近きれいになったので、神様がいなくても、お参(まい)りの人がちらほら来ているようだ。

朱陽がまっさきにカートから飛び下り、社(やしろ)の賽銭箱(さいせんばこ)に乗って鈴緒(すずお)を振った。

「とーもーはーちゃーん、くーれーはーちゃーん！」

ガランガランと鈴が景気よく鳴る。

「あーしょびましょー」

神社に向かって遊びましょという声はどうかと思うが、じっさいやっていることは遊びなのでしょうがない。

「よくきたなー神子たち！」

バーンと社の扉が開き、顔が白くて身体の黒い、大きな尾長鶏(おながどり)が飛び出してきた。

「ともはちゃーん！」

　きゃーっと叫びながら朱陽と蒼矢が飛びつく。

　伴羽は二人を背に乗せると、ばさばさっとその辺りを旋回した。

「こんにちは、梓さん、ご機嫌よろしゅう」

　ゆっくりと出てきたのは全身真っ白で、伴羽よりほっそりした鶏だ。右目の片眼鏡がおしゃれな弟の呉羽。

「こんにちは、呉羽さん」

　白花がカートから降りて呉羽の頭から背を優しく撫でる。呉羽はうっとりと目を閉じた。

「羽鳥梓、もっとしょっちゅう子供たちを連れてこい！　三日ぶりではないか」

「すみません、バタバタしてて」

　伴羽がバサバサと梓の足元に降りた。少し息を切らしている。

　伴羽も翡翠とはまた違った愛情を子供たちに注いでいる。翡翠のような厭味（いやみ）は言わないが、子供たちに虫だのミミズだの食べさせようとするのだけはやめてほしい。

「ともはちゃん、もっとはしるー」

「もっとばたばたして、もっと」

「貴様たち、わしを殺す気か」

　そう言いながらも再び伴羽は飛び上がった。子供たちの元気な声が神社に響く。

昔はこの神社も縁日や祭りなどがあって賑やかだったという。そのときの子供たちの声をいまでも伴羽は懐かしむ。

四神子がはしゃぐその声が、御神鶏たちには嬉しいのだろう。

「梓さん……なんだかお元気がないですね」

呉羽は片眼鏡を翼の先で押し上げた。

「なにかあったのですか？」

「あの……実は……」

給料が少ない、金がない。そういうことを企業に申告してもいいのだろうか？　いや、タカマガハラは純粋な意味での企業ではない。とはいえ、手取り一四万で就職を承諾したのは事実だ、いまさら文句を言っても……。

「あ、あの、あの」

そもそも梓は昔からお金の話が苦手だ。母子家庭で金銭的に苦労してきている。学生の頃も、金の貸し借りにはいっさい関わらなかった。金の話をしたら友情が壊れる、いわんや愛情をや、というのが母親の持論だ。

しかし現実問題としてこのままでは今月乗り切れない。

「こ、これを見てください！」

梓はポケットから預金通帳を取り出し、記載された最後のページを見せた。

百聞は一見にしかず。これを見れば、今の梓の状況がわかるだろう。

バサバサと伴羽が降りてきて、梓の広げた通帳に顔を近づけた。

「……なんだ、これは」

伴羽が不満げな声を上げた。

「ごらんの通りです。計画性がないと叱られるかもしれませんが……」

「いや、だから、なんだというのだ、この手帳が」

「へ？」

梓は伏せていた顔を上げた。

目の前で伴羽がむずかしい顔をしている。

「こ、これ、預金通帳です」

「そうかって……これを見てなんとも思わないんですか？」

「そうか」

「だから何をだ」

だめだ！　この鶏頭め！

「兄者、梓さんは残高を見てほしかったのですよ」

呉羽が呆れた声を出す。

「そうでしょう？　梓さん。まだ四月の始めだというのに、残っているお金が四桁では……今月生活がむずかしいですね」

「そ、そうなんです、呉羽さん！」

ああ、やっぱり呉羽は頼りになる。そこの尻尾が長いだけの鶏とは違う！

「別に贅沢しているわけではないんです。でも確かに家電を一気に買ってしまって馬鹿だったと思います。だけど翡翠さんが炊飯器にうるさくて……」

「生活が苦しいって……馬鹿な、食うものなどそのへんにやまほどあるだろう」

「だから、子供たちの食生活に鶏式を持ち出さないでください」

梓は伴羽と顔を突き合わせた。

「生活費もそうですけど……梓さん、梓さんは今、持ち家に住んでいるんですよね？」

そこへ冷静な呉羽の声が割って入った。

「え？　はい」

「家を土地ごと購入したということは……今後は固定資産税を払う義務が生じるのではありませんか？」

「へ？」

呉羽は片眼鏡をきらりと光らせた。

「固定資産税です。ご存じないですか？」

「い、いいえ、なんか聞いたことはあるような……」

「貧乏学生には縁のなかった言葉だろうな」

伴羽がせせら笑う。

「こ、固定資産税……」

「家を用意したのは翡翠さんと紅玉さんですよね。購入用の書類の中にそうした役所関係の書類はなかったんですか？」

「あったような……」

あのときたくさんの書類にサインやはんこを押した。確かに豊島区からの書類もあったように記憶している。

「他にも住民税、健康保険、年金など、社会人になると払う義務が出てくるお金があると思うんですけど」

呉羽は落ち着いた声で並び立てた。それらの単語を梓はただ繰り返す。

「住民税、健康保険、年金……」

「都心の土地と建物を所有しているのですから、固定資産税は高くなると思います。まあ、分割払いという手もありますが……それでもまとまったお金は必要です。梓さん、蓄(たくわ)えはあるんですか？」

気を失いそうになった。

二

「助けてください！」

もう恥も外聞もなかった。

梓は伴羽と呉羽に頼み、タカマガハラに連れてきてもらった。もちろん子供たちも一緒だ。

実は以前、タカマガハラで魔縁退治をしたことがある。そのときに子供たちが暴れすぎて、タカマガハラに出禁をくらった。それ以来、来ていなかったのだが、非常事態だ、仕方がない。

子供たちは久々のタカマガハラの白い砂に、絵を描いたり、山をつくったりして楽しそうに遊んでいる。

しかし梓はそんな子供たちを眺める余裕もなかった。案内された部屋の中で、アマテラスに直訴している。

「まあ、待て。羽鳥梓。見ろ、子供たちのかわいいことを」

アマテラスは茶を飲みながら、楽しそうに窓から見える子供たちを指さす。

「みな、かなり大きくなったな。体だけのことではない。心も成長しているようじゃ。それもこれもお前の育て方がすばらしいということじゃな」

「あ、ありがとうございます、それであの、」

「下界では」

アマテラスが正面を向いて梓を見つめた。上下にびっしりと植わった睫毛の間から、強い光を抱いた瞳が見つめてくる。

「たった二カ月で勤め先の給料に文句を言うのか？」

「そ、それは」

「みんな、少ない家計の中でやりくりしているのではないか？」

「そ、そうですけど」

「自分の金銭管理の下手さを棚にあげて、給料が少ないと、お前はそう言うのか」

「すみませんっ！」

梓はテーブルに両手をついた。

「確かに計画性もなくいろいろ買ってしまってこんなことになりました。だ、だけど、固定資産税のことは本当に考えてなかったんです。呉羽さんが固定資産税は払いが遅れるとサラ金並に利率があがって取り立てが厳しいって脅すし、とにかく固定資産税だけはどうにかしないと」

「悪いが、それはこちらの管轄外だ」

アマテラスは冷たく言う。

「家を購入したのはお前ではないか。私は最初に言ったぞ、お前の職場は石川荘(いしかわそう)だと。そこから勝手に引っ越して、勝手に家を買って、勝手に固定資産税の対象になったのだ。なぜタカマガハラがそのための金を出さねばならん」

「それは……そうですけど……」

アマテラスの言っていることは正論だ。だけど。

「だ、だけど、家は翡翠さんと紅玉さんが……」

「なら翡翠と紅玉に金を出させればいいではないか」

「……」

梓はアマテラスの白い顔を見上げた。

「そんなことができるんですか？」

「あやつらも多少の金は持っておろう、話してみればいい」

確かに家を購入したのはあの二人だ。しかしそれもアパートの一室では四人の子供を育てきれないと考えてくれたためだ。今までもいろいろと助けてもらっている。その二人に固定資産税のお金までだしてほしいというのは、人情的にどうかと。

「な、なら、お給料の前借りというのは」

「できんな」

「う、……」

がっくりと首を落とす梓に、アマテラスはさすがに気の毒になったのか、優しい声音で言った。

「まあ、そう心配するな。お前たちにはいい言葉があるではないか。ほれ、明日は明日の風が吹くと」

「強風しか吹かないような気がします……」

「久々にタカマガハラに来たのじゃ。ゆっくりしてゆくといい。子供らは楽しそうだぞ」

そう言われて外にだされてしまった。立ち尽くす梓のもとに子供たちが駆けてくる。

「あじゅさ、あじゅさみてー」

子供たちが笑いながら言う。

「あーちゃんのはなに、いしはいってんのー」

一瞬意味がわからなかったが、よくみると、朱陽の鼻の穴に白い石がつめられていた。

「こえ、ふんってするとでてくんのよ、みててね」

朱陽がつまってないほうの鼻の穴を指で押さえ、ふんっと息を吹き出す。だが。

「あれー、でてこないー?」

蒼矢が朱陽を指さしてげらげら笑った。

「あえび、はなつまったーはなつまったー」

「あ、朱陽。鼻から石だして」

朱陽は、しきりにふんふんと鼻を鳴らすが石は出てこなかった。

「でないよー？」

「朱陽――!?」


なんとか朱陽の鼻から石を取り出したあと、以前行ったことのある森へとでかけた。

前にきたときと同じように、桃の実やりんごの実がたわわに実っている。子供たちはてんでに好きな木にのぼって果物をもぎとって食べた。

木々は子供たちが登りやすいように、いずれも低く枝を伸ばしている。

「はあ……どうしよう」

梓は木の下に腰をおろし、膝の上に顔を乗せた。

お金のことでこんなに不安になるなんて思わなかった。

思い返してみれば、大学生のときは贅沢はできなかったが不安になったことはなかった。

母親は毎月きちんと仕送りをしてくれたし、足りなくなりそうなときは臨時のバイトをいれていた。

その頃はお金は自分の周囲のことだけで解決していて、税金などという言葉には縁がなかったのだ。

梓は自分が如何に学生という保護の内側だけで生きていたのか、思い知った。

「あじゅさー、りんごー」

朱陽が両手に赤いりんごと黄色いりんごを持ってやってきた。

「おいしいよ？」

（ブドウ、食べテ？）

白花ももてるだけ持ってくる。蒼矢は離れたところからみかんを投げつけてきた。

ぽとんぽとんとさくらんぼが落ちてくるので見上げれば、玄輝が枝の上からちぎってよこしていた。

「ありがとう、大丈夫だよ」

自分に元気がないから子供たちが心配して果物を持ってきてくれたらしい。その優しさにじんとした。

（お金がないって落ち込んでちゃいられない。この子たちを守るのは俺しかいないんだ。お金がないなら他に仕事を探してみるしかない）

梓はりんごを見つめると、それに勢いよくかぶりついた。

「おーい、梓くん」

森の入口の方から車椅子がやってきた。乗っているのは案山子(かかし)の神、クエビコだ。

「クエビコさん……」

今日のクエビコは、白い作業服は以前と同じだが、麦わら帽子ではなく、つばのあるキャップをかぶっていた。電動の車椅子は森の中のでこぼこも乗り越え、まっすぐやってくる。

「いやー、梓くん、まいどはやー」

クエビコは車椅子を止めると陽気な笑顔を向けた。子供たちはすぐに車椅子に駆け寄った。

「のせてーのせてー」

「残念、こいは一人乗りやけね、こんどまたね」

クエビコは子供たち一人一人の頭に手を置いた。

「そのかわり、これ、あげっちゃ」

手渡したのは竹とんぼだ。しばらく飛ばし方を教えると、子供たちは森の中にとんぼを飛ばして遊びだした。

「――さて、梓くん」

子供たちが離れたのを見て、クエビコが梓を振り向く。

「今回はちょっと大変やね。アマテラスさまから聞いとるで」

「あ、はい……俺がいけないんですけど」

しょんぼりする梓にクエビコがなぐさめるように言う。

「まあ、最初はなんでも金がかかるからな。そんで、なんや、固定資産税、だっけ」

「は、はい」

「アマテラスさまも本音はなんとかしてあげたいがや。だけど、四神にばかり予算をつぎ込むことはできんでな、あんなふうに冷たく言うしかないんやが……」

クエビコはそこでにやりと笑った。

「やから、梓くん。バイトしてみん？」

「バイト、ですか？」

「せや。ちょっとおわの手伝いしてくれれば、固定資産税くらい簡単に払えるだけの賃金出そうやないけ」

脳裏にチーンジャラジャラジャラジャラというレジスターの音が響きわたった。食いつかんばかりの勢いで、梓はクエビコの膝の上の手を取った。

「やりますやります！　やらせてください！」

「よっしゃ。契約成立や」

クエビコはがっしりと梓の手を握りかえす。

「このバイトには子供たちの力も必要となるからな。みんなが遊び終わったら仕事先に行くっちゃ」

「え……子供たちの力って……」

「四神の力や」

三

タカマガハラから移動したのは、下界のなんの変哲もない住宅の中だった。

引っ越しでもしたあとなのか、家財道具はいっさいなく、部屋の壁の一部はクロスがはがれ落ちていた。窓ガラスも曇り、侘しい感じがする。

「クエビコさん……ここが仕事先なんですか？」

梓はクエビコに話しかけた。クエビコは今はストラップサイズの案山子に姿を変え、梓の肩でゆらゆらしている。

「そや」

「ここでどんな仕事を……掃除ですか？」

梓は部屋の中を見ました。ほこりっぽい匂いもするし、片づけともなると一日仕事になりそうだ。こんなところで子供たちの力って、どう使うんだろう……？

「そうや、掃除みたいなもんやちゃ。まあ言うなれば鬼掃除やな」

「お、鬼掃除？」

「ここはなあ、いわゆる事故物件いうやつでな……」

クエビコが言いかけたときには、梓は子供たちを連れて、玄関へ走っていた。

「ちょ、ちょっと梓くん」

「勘弁してください。俺はそういうの苦手なんですよ！」

玄関のドアをガチャガチャ回したが開かない。

「外から鍵がかかっとるっちゃ」

「開けてくださいー！」

「固定資産税」

ぴたっと梓の動きが止まった。

「梓くーん。固定資産税どうすんがや？」

「ず、ずるい……」

梓はずるずると玄関のドアにすがって崩れ落ちた。

「ようはここに巣くっている鬼を鬼道に送ってくれという話や。子供たちの四神の力でそいつを動けなくして、あとは梓くんが御祓(おはら)いしてくれればいい」

「できませんよ！」

なんでもないことのように言うクエビコに梓は声をひっくり返した。

「できるできる。そのための便利道具があるがや」

バサリと梓の手の中に白い紙がついた大幣(おおぬさ)が落ちてくる。ちょっと効果音をつけてみたくなるようなタイミングだ。

「これでその鬼を触ってやるだけでええ。簡単やろ？」

「うう……」

梓はそのわさわさとした紙の中に顔を埋めた。

「家にでる虫みたいなものだと思えばええ。な？　男の子やろ、がんばれ」

固定資産税を払うためだ。我慢するしかない。

「みんな、梓に力を貸してくれる？」

頼りになるのは子供たちだけだ。みんなの顔をみるとにこにこしながらうなずいてくれた。なんて心強い……。

「じゃあ行こう。クエビコさん、その鬼ってどのあたりに出ますか？」

「二階やな」

クエビコが梓の肩の上で跳ねる。

「わかりました」

部屋からでて廊下を覗くとすぐに階段があった。そっと上へあがってゆく。ぎいぎいっと音が鳴るのが、ホラー映画のようで怖い。

二階には二部屋、向かい合ってドアがあった。

「どっちですか？」

「右の方や」

ドアの前で深呼吸をしてドアノブに手をかけた。

「映画みたいにドア開けたとたん、出てくるなんてことはありませんよね？」

こっそり囁くと、クエビコが揺れた。

「大丈夫や、ここにおるのは大人しいやつで、ただじっとしとるだけやから」

「そ、そうですか」

ドアを開ける。この部屋もガランとしてほこりっぽい。

「いませんよ？」

部屋の中にはなにもいなかった。拍子抜けした気持ちで見回していると、白花が梓の手をひっぱった。

（アソコニイルヨ）

指さすのはクローゼットだ。

「うわあ……」

いやな予感しかしない。

梓はへっぴり腰でクローゼットに近づいた。

「……」

じっとりと背中に冷たい汗が流れる。

「よ、よし、行くぞ」

クローゼットのつまみに指をかけ、両開きのドアを一気に開いた。

「！」

閉じる。

「ク、クエビコさん……」

梓はドアを押さえたまま震える声で言った。

「お、男の人が、いたんですけど……」

「そやな」

「手とか足とかが……なんかありえない箇所からありえない角度で出てるんですけど……」

「そのせいで動かんのや。ただあそこでじっとしとる」

「あ、あんな怖い姿、子供たちにみせられませんっ！　なんですか、あれ。幽霊じゃないですか！　なにが虫ですか！」

梓の家にも鬼は出る。だがそれは小さな虫のような姿だったり、影のような姿だったりして、今のようなはっきりとした形はしていない。

「ああ、大丈夫や。子供たちの目にはぼんやりしか見えんから。梓くんは同じ人間だから人間の姿で見えてしまうだけや」

「そ、そんな」

怖い思いをするのは自分一人だけというわけ？

「とにかくもう一度挑戦してくれや。子供たちに言ってその鬼の周りに結界を張る。そんで梓くんが大幣で祓う。やることはそれだけやから」

「――――……」

梓は長いため息をついた。

「わかりました、やりますよ」

梓は頭の中で呪文のように「固定資産税固定資産税」と唱える。

「……みんな、梓がこのドアを開いたら、中にいる鬼の周りに結界を張ってね」

「あーい」

子供たちは元気に声を上げる。梓はもう一度クローゼットのつまみに指をかけた。

ドアを開く、子供たちが光を放つ、光に包まれた鬼（幽霊）に大幣で触れる。鬼（幽霊）が消える。

「いっせーの、せ！」

「……」

時間にしてほんの二秒ほどだ。あっと言う間に片づいた。

「はああ……」

「な、簡単やったろ？」

クエビコが梓の肩の上でぴょんぴょん跳ねた。

「ま、まあ、心臓には悪いですけど、簡単ではありましたね」

「よし、ほんなら次行こうか」

「ええっ！」

梓は驚いて振り向いた。

「次って！　これだけじゃないんですか！」

「なにを甘いことを、梓くん。こんな簡単な仕事一件くらいで固定資産税が払えるとでも思ってんの？　あと一〇件くらいはやってもらわんと」

「そ、そんな」

「さあ、ちゃっちゃと片づけないと夜になってしまうで。次いこー！」

次の物件はマンションだった。やはり家財道具がなく、空き家になっている。

「ここはどこに……」

「ここはなー、誰もおらんのに夜な夜な風呂場から水音が聞こえてくる言うてな」

「説明はいいですから」

梓はいやいや浴室へ向かった。確かにザーザーと水の流れる音がしている。

「ほんとに子供たちには姿が見えないんでしょうね？」

「見えない見えない」

「ううう」

浴室の曇りガラスの向こうには何の姿もないが、水音はしている。

「じゃあ開けるよ……いっせいの、せいっ！」

悲鳴を上げなかった自分をほめてやりたい。バスタブの中で血まみれでこちらを見ている女性の姿があったのだから。

だが子供たちは平気な顔で結界を張っている。クエビコが言うように、恐ろしい姿は見えないようだ。

「鬼道に帰ってくださーい……」

梓は顔をそむけながら大幣を血まみれの顔に触れさせた。とたんにその幽霊も、バスタブにたまっていた水も消えてしまった。

「よし、さくさく行くでぇ」

クエビコは元気いっぱいだ。子供たちも「おー」と声を上げる。梓だけは受け取ったダメージにふらふらだった。

そのあとも一戸建てやアパートやマンションなどを移動して、そこに巣くう幽霊を祓っていった。

幽霊の形態もさまざまだ。首が長く伸びた男性が部屋の中央でゆらゆらしていたり、壁から女性の頭が突き出ていたり、胴体だけが転がっていたり。

怖いのは怖いし、その人たちがどうしてそんな幽霊になってそこにいるのかと考えると気が滅入ってしまう。

「さあ、梓くん。最後の仕事や」

だからクエビコにそう言われたときはほっとした。

「ほんとに最後の物件なんですね？」

「ああ、これでおしまい。これを無事終えたら給料振り込んでおくからな」

助かった。怖い思いはもうしたくないし、そろそろ玄輝が限界だ。今も梓の腕の中でうつらうつらしている。

「玄輝、起きて。これで最後だから。これが終わったら寝かせてあげるから」

「……」

玄輝はちょっとだけ目を開けたが、不機嫌そうな顔で梓の胸に額を擦りつけた。

「じゃあ、いくでー」

クエビコが掛け声をかけるとたちまち景色が変わった。

「あれ？　ここって……」

目の前に長い廊下がある。その片側にいくつも並んだ部屋。

「ここは、……学校ですか？」

「そや、小学校やな。もうじき取り壊されるんやけど、その前にここにいる子を鬼道に連れていきたいんや」

「子供……」

学校に棲む子供。いったいどういうわけでこんな場所に残ってしまったのだろう。

「その子はどこに？」

「それが子供だけあってなあ、居場所が特定されてないんや。学校中を走り回っとるようなんや」

「ええーっ!?」

四

さて困った。

校舎は三階建てでコの字型をしている。教室の数も多そうだし、これで校庭や中庭なども含めたら、捜索にはかなり時間がかかりそうだ。

「あじゅさー、ここなぁに?」

朱陽が不思議そうに校舎の中を見回している。たしかにこの場所は今まで行った家ともアパートとも違う。

「ここは学校だよ。人間の子供は大きくなったらここに来てお勉強するんだ」

(オ勉強ッテナニ?)

白花も首をかしげる。

「そっか、お勉強わかんないか。そうだな……」

なんて説明しようかとしばし迷う。

「白花は、今絵本を紅玉さんに読んでもらっているだろ」

（ウン。クマチャンノ本、好キ）

白花はお気に入りの絵本のタイトルをあげた。

「それを自分で読めるようになるのがお勉強」

（自分デ？）

「そうだよ。自分で読めるようになったら、もっともっと、たくさんの本が読めるよ」

白花は目を輝かせた。

（白花、オ勉強シタイ）

その言葉にはた、と思う。

そういえばこの子たちが学校へ通うときはどうすればいいのかな？　戸籍があるわけじゃないから困るよね……。

「あ、あの、クエビコさん」

「ん？」

「この子たちって学校に行けるんですか？　戸籍とか、どうすれば……」

「あれ？　梓くん、忘れちゃったかや」

クエビコは梓の肩の上でくるくる回った。

「この子たちを育てるのは七年だけやって。子供たちは七年で成人するんや。大きくなるときはあっと言う間やし、だからとても学校へはやれん」

「あ――」

忘れてた。アマテラスとの契約は子供たちが成人するまで。そして成人するのに要する時間は七年――。

「そうでした……」

(お勉強デキナイノ?)

白花が悲しそうに言う。梓はあわてて答えた。

「大丈夫大丈夫、梓がお勉強教えてあげるよ。学校へ行かなくても本くらい読めるようになるから」

(ホント?)

「うん、約束する」

白花は嬉しそうに笑ったが、梓の心中は複雑だ。いつも忘れてしまう、この子たちと七年で別れることを。

(七年で本当にこの子たちは大きくなってしまうのだろうか? 俺の手が必要ない、大人になってしまうのか)

今、目の前でころころと転がっている子供たちを見ていると、とても信じられない。

「梓くん――」

クエビコが耳元で囁く。梓ははっとした。

「だ、大丈夫です。ちゃんとやります」

気持ちを切り換える。七年先のことはそのときに考えればいい。今悩まなきゃいけないのは固定資産税だ。

朱陽と蒼矢が廊下に転がり、壁に足をつけて勢いよく蹴って滑る、という遊びをしている。フリースの遊び着の背中は真っ黒になっているだろう。だが、楽しそうにしているので梓は止めなかった。服の汚れくらい、洗えば落ちる。

「……」

抱いていた玄輝が梓の胸から頭を起こした。左右を見回してから腕を伸ばす。その指の先をみると、廊下の角から男の子が覗いているのが見えた。

「あの子――？」

さっと顔が隠れる。梓は急いで角まで行ったが、姿は見えなかった。

「あじゅさ、どうしたの？」

パタパタと蒼矢たちも追いついてきた。

「あ、うん。幽霊の子供がいたんだけど、逃がしちゃった……」

「にがしちゃったの？」

「おにごっこすゆ？」

梓は考える。この広い校舎の中で幽霊を捕まえる方法を。

(あの子……こっち見てたよな)

それに今まで見てきたような怖い姿ではなかった。

「クエビコさん。体育館へ移動したいんですが、できますか?」

梓が肩の上に向かって言うのと同時に、場所が体育館に変わった。

「わー、なつかしいなー」

高い天上には鉄骨が細かく渡されている。上部の明かり取りの窓、低いバスケットコース、垂れ下がった吊縄(つりなわ)、ボロボロの幕が下ろされたステージ。

「体育館ってわりとどこも同じイメージだなあ」

足で床を擦るときゅっきゅっと鳴る。

「わー、ひろーいおへやー」

「わーぁあああ」

声が反響するのが面白いのか、蒼矢と朱陽が叫びはじめた。

「あぁーあああ――……」

「わああーぁわわわぁ――」

白花もドンドンとジャンプして床の音を楽しんでいる。

「ボールとか出せますか?」

「梓くんはおわを猫型ロボットと勘違いしとるんやないけ?」

そう言いながらもクエビコはドッジボール用のボールを一つだしてくれた。

「よーし、みんな。ボール遊びしよう」

梓がボンボンとボールを跳ねさせながら言うと、子供たちが飛び上がって喜んだ。

「ボールをとなりの人に投げて、受け取ったらすぐにまたとなりに投げるんだよ、いい?」

「あーい」

「行くよー」

梓はボールを隣の蒼矢に放った。放ると言っても床に弾ませてそれを取らせる遊びだ。

蒼矢は身体の正面でしっかりキャッチすると、すぐにそれを朱陽の方に山なりに投げた。てーん、といい音を響かせ、ボールが高く弾む。朱陽は飛び上がってそれを受け止めると、白花に投げた。

白花は用心深く、ボールが三回ほどバウンドして勢いがなくなった頃に受け止める。それから玄輝に向かって投げた。

玄輝は眠そうだったのでやらないかなと思ったが、あくびしながらもちゃんとボールをキャッチした。それをぽいっと梓に放る。驚いたことに、梓の方を見ようともしなかったのに、正確に手元に届いた。

「ようし、もう一回いくよー」

そうやって何順かした頃、梓は体育館の隅の方に男の子が立っていることに気づいた。

「……こっちへおいでよー」

梓はその子に呼びかけた。子供たちも振り向き、男の子がいることに気づくとてんでに手を振って呼びかける。

「あしょぼー」

「おいでよー」

男の子は少しもじもじしていたが、やがて、たたたと駆けてきた。顔もきれいだし、足もある。ただ、影だけがなかった。

「じゃあ行くよ」

梓から蒼矢にパス。蒼矢から朱陽にパス。朱陽から白花にパス。白花から玄輝へパス。そして玄輝がその子にボールを放った。

「……」

パシッと音をさせて、その子はしっかりと両手でボールを受け取った。受け取った自分に少し驚いたような顔をしている。

「さあ」

梓はその子に手を差し伸べた。男の子はにっこり笑うと梓にボールを投げた。

「――」

梓がボールを受け取ったとき、その子はもういなかった。

「お疲れ、梓くん」

肩の上でクエビコが言った。

「大幣を使わずに、あの子を鬼道に返すことができたな」

「そうですか……」

梓はボールに目を落とした。あの子が最後に触ったボール。きっと一緒に遊びたいのだろうと思っていたけど。

「なんであんな小さい子が……」

幽霊になんてなっているのだろう。

「子供の幽霊って、なんか悲しいですね」

「そやなあ……」

「あの子、無事転生できますかね」

「きっとな」

梓は子供たちに呼びかけた。

「さあ、みんな。クエビコさんのお手伝いは終わったよ、おうちに帰ろう……」

終

　じゃあ明日振り込んでおくから、とクエビコに言われたので、翌日、梓は祈るような気持ちでＡＴＭの前に立った。

　ひとつ息をついて、おそるおそる通帳を飲み込ませる。こんなに緊張して「通帳記帳」の表示を押したのは初めてだった。

「……やった！」

　通帳の残高は梓が思ったよりも多くなっている。この分ならなんとか分割で支払えそうだ。残りは今月の不足代にしよう。

「なにをニヤニヤしているのだ、羽鳥梓」

　ＡＴＭの外では翡翠と紅玉が待っていた。今朝二人が来てくれたので、みんなで買い物に行こうということになったのだ。二人は子供たちの手を左右で握ってご満悦だ。

「え？　そんなに顔崩れてました？」

「ああ、かなりだらしない顔になっていたぞ」

翡翠にそう言われても、平気だ。お金の心配がなくなるというのはなんて幸せなことだろう。

「いえ、クエビコさんからバイト代をもらったんです」

「バイト代？」

梓はウキウキする気持ちを隠さないまま、説明した。

「はい、先月いろいろ買いすぎて貯金が危ない感じだったんで相談したんですよ。なんせ、家計の他に固定資産税を払わなきゃならないんで」

「固定資産税？」

翡翠と紅玉は顔を見合わせた。

「ああ、そうか。すっかり忘れとったな」

「そうだった。一応勉強したのだが、失念していた」

よかった、用意しておいて、と梓はほっとした。

「そっか、梓ちゃんえらいな、ちゃんと自分で払うつもりなんや」

「家を購入したのは私たちだ。相談してくれてもよかったのだぞ」

二人にそう言われ、梓は頭をかいた。

「いえ、いろいろ助けていただいているのに、そこまで甘えるのもどうかと思って。クエビコさんのバイト代、かなり割りのいい仕事でしたし」

「そうか。ならそのバイト代、一年定期にでもしといたらええわ。少しでも利息がつくさかい」

「は？」

梓は首をかしげた。一年定期って、一年間銀行に預けるってことだよな？

「あれ？　だって固定資産税って家を買ったら支払うんですよね？」

「そうや。でも請求は来年やよ？　固定資産税は一月一日に住んでいた場所に対して支払うんや。梓ちゃんは二月に家を買ったことになるから、一一カ月分お得なんやで」

「え、」

すうっと足元の地面がなくなる気がした。

じゃあ昨日一日の悩みは。

すぐにでも税務署から請求が来て家を差し押さえられると怯えていたあの日は。

「ク、クエビコさんは……それ、知って……」

「それはそうだろう。あの方は下界のことはなんでもご存じだからな」

「な……！」

梓はわなわなと震える手を握りしめた。

「クエビコさーんっ！」

天に向かって叫ぶ。

「ひどい！　ひどすぎますよ！　教えてくれてもよかったじゃないですか―――！」

もちろん応えはない。

「クエビコさーん！」

「あ、梓ちゃん、ちょっと変な人みたいになっとるで」

「クエビコ殿に文句を言うとは何事だ、羽鳥梓」

紅玉と翡翠が左右からなだめるが梓の耳には入っていない。

「昨日の俺の心労をどうしてくれるんですか～～っ！」

幽霊との遭遇よりなにより、今教えられた真実の方がダメージが大きい。

梓は半分泣きながら天を仰いでいた。

、遊ぶ

3

「あじゅさー。こうえん、いくー？」

朝御飯が終わるとさっそく蒼矢が声をあげる。

「行くよ。公園に行きたい人は帽子をかぶってね」

「あーい」

最近は暖かくなってきたのでおそろいのフリースのパーカーではなく、スウェットの上下に黄色いつばのある帽子、という姿で公園に行くことにしている。

玄関からガタガタとカートをひっぱりだすと、子供たちが家の中から転がるように出てきた。

全員を乗せてアコーディオン式の門を押し開ける。

「かーとでごー！」

朱陽が声を張り上げた。

「ごー！」

（ごー！）

ぐいっとカートを押す。

春の日差しがカートの中の子供たちの顔に降り注ぎ、輝かせていた。

公園に行くと子供たちの性格の違いがよりよくわかる。

蒼矢はまずブランコにすっ飛んでいき、それからジャングルジムに行ったり滑り台を使ったり、コンクリの山に登ったり、あちこち動き回る。

朱陽は最初はジャングルジムだ。そこでけっこう時間を使ったあと、公園をぐるりと囲んでいる木や花を点検に行く。鳥とお話していることもある。物おじしない性格のせいか、友達も多いようで、あちこちで声がかかる。

白花は大体砂場にいることが多い。もくもくと一人で砂を積んでいるが、時には他の子と共同作業することもある。

玄輝は時間のほとんどをカートやベンチでぼうっとしているか眠っているか。時々、蒼矢や朱陽に誘われて遊具に行くが、そこでもじっとしていることが多い。

それでも充分楽しんでいるようなので、彼はそんなタイプなのだと梓は焦(あせ)らないことにしていた。

そんなふうにてんでばらばらな子供たちだが、気がつくと一緒に遊んでいたりしている。

外で変身してはいけない、という約束はちゃんと守っているが、時々四神の力を使ってしまうこともあるようだ。

今のところ騒ぎにはなっていないので大丈夫か、と梓は楽観的だ。

おや、朱陽は公園のお花のところでどこかよそのおばあさんとお話しているようだ。

【朱陽とお花】

「おばーちゃん、こえ、なあに？」

朱陽は地面に張りつくようにして咲いている黄色い小さな花を指さした。

「それはね、かたばみの花よ」

眼鏡をかけた老婦人が、優しい声で答える。

「かーたーばーみー」

「そうよ」

「こえは？」

「それはね、オオイヌノフグリ」

「オー……？」

名前が覚えられなかったのか、朱陽は首をかしげる。

「こっちはスズメノカタビラ」

老婦人は朱陽が聞く前に別な草を指さした。

「春になると小さくてかわいいお花がたくさん咲くわね」

「おはなねー、どこからくるのー？」

朱陽は緑色のひょろひょろとしたスズメノカタビラを撫でながら聞いた。

「そうね。冬の間は地面の下でねんねしているのね。それで春になってあったかくなると、土の中から顔を出すのよ」

「ねんねー？」

朱陽はころんと老婦人の横の地面に寝ころがった。老婦人が驚いて朱陽を起こそうとする。

「あ、あら、だめよ。ばっちいわよ」

「あーちゃんねー、おはなー」

朱陽は両手を空に伸ばした。

「みてみてー、おはなー」

五本の指が大きく開いている。老婦人はそれを見て笑い出した。

「あらほんとねえ、かわいいお花だわ」

「おはなー」

「……」

老婦人は朱陽の手の花をじっと見つめた。

「昔ね、おばあちゃん、お花に助けられたことがあったの」

「うー？」

「ずっと昔ね、おばあちゃんがまだおかあさんくらい若かった頃、小さな子供がいたの。でもおばあちゃんはその頃からお花が大好きで、子供の世話よりお庭でお花の世話をする方が好きだったの。子供はほったらかしで……だから、ばちがあたったのかしら」

老婦人は遠い昔を見つめるように、空を見上げた。

「子供がひどい熱をだして……お医者さまも、熱がひかなかったら子供はもう助からないって言って……。そのときおばあちゃん、はじめて神様に祈ったの。神様、子供を助けてください、助けてくれるなら庭のお花、全部枯れてもいいですからって」

朱陽はぴょこんと起き上がると、地面に膝をついて老婦人を見上げた。

「かみさま……おねがいきーてくりぇた？」

「ええ……おばあちゃん、看病しているとき夢を見たの。今でもはっきり覚えてる、不思議な夢よ」

「ゆめェ？」

老婦人は気がついたら暗い庭にいた。その庭で、自分が育てた花が全部枯れている。老婦人はなぜかその枯れた花を全部拾い集めれば願いが叶うのだと思った。

だから必死に花を拾い出した。

「夢の中だから、お庭が広くてね、早く拾わないと起きてしまうって一生懸命だったの。枯れた花はいっぱいあって、おばあちゃん、泣きながら集めたわ」

朱陽はじっと老婦人を見つめた。

「それでもあらかた拾えたとき、最後に、ひとつだけ花が残っていることに気づいたの。だけど、その花は枯れていなかったの。小さくて弱々しいけどちゃんと咲いていた。でもおばあちゃん、そのお花も摘まなくちゃいけないってわかったの」

暗い庭に、まるで灯のような、星のような、淡い光を放っている花。

「おばあちゃん、そのお花を摘もうとしたんだけど……どうしても摘めなかった。一生懸命咲いているお花が、病気と戦っている自分の子供みたいで……。だから神様にお願いしたの」

このお花は摘めません、でも子供の命も助けてください。代わりにわたしの命を摘んでください――

「それで目が覚めたの……」

「おばあちゃんのこどもはー？」

朱陽が目をまん丸にしている。

「大丈夫だったわ」

老婦人はにっこりした。

「熱がさがって、呼吸も穏やかになってて、お医者さまももう大丈夫だろうって。おばあちゃん安心して大泣きしてしまったわ……それからおうちに帰ったら、ずっとお庭の世話をしていなかったから、お花は枯れていたの。でもね……」

老婦人は葉の影に咲く小さな花を指さした。

「このお花がお庭に元気よく咲いていたの。それを見たとき、ああ、大丈夫、わたしは大丈夫。元気出してまたお庭を花いっぱいにして、子供の世話もちゃんとやって、いいおかあさんになろうと思ったのよ」

その花は優しい薄紫のスミレだった。恥じらうように下を向き、ひっそりとたたずむ人のような。

「夢の中でも咲いていたのはこのお花のような気がしていたわ。だから、おばあちゃんはスミレが一番好き。昔はたくさん咲いていたけど、最近はあまり見なくなっちゃったわね」

「ふぅん」

朱陽はその一群れのスミレを見た。花はたった一輪だけ残っていた。

「朱陽ちゃんもお花好き?」

「しゅきー！　あのね、おにわにね、さくらがあんの。あとね、こないだね、あじゅさとたねまきしたから、たくしゃんさくのよ」

「そう。いいわねえ」

老婦人はそれからまた少し朱陽と話をしたあと、バイバイと帰って行った。朱陽は咲いているスミレの花に手を伸ばし、その優しい花びらをそっと撫でた。

「しゅみれさん、かわいーね」

「あえびー！」

どんっと背中になにかがぶつかり、朱陽は頭から地面に転がってしまった。

「なーにー！」

振り向くと蒼矢がぎゃははっと笑っている。おでこに土をつけた朱陽に指を突き付け、

「あえび、どろだんごー」

「そーちゃんのばかっ！」

思わず手にしたものを握りしめ、それを放ろうとしたとき。

「あ、……」

手の中のものはスミレだった。朱陽は咲いていたスミレを掴んでしまったのだ。

「あ――」

蒼矢はもう逃げてしまっている。朱陽は呆然とちぎれたスミレの花を見つめた。

「おばあちゃんのおはなー」

どうしよう、おばあちゃんがいちばんすきなおはな、なくなっちゃった。

朱陽は花をもとの茎の上にそっと置いた。だが、花はぽろりと落ちてしまう。

「あー……」

「朱陽、大丈夫？」

ベンチに座っていた梓が朱陽のそばにやってきた。

「今、蒼矢に突き飛ばされたよね。怪我はない？」

「あんねー、おはなしゃん、とれちゃったのー」

朱陽は梓にスミレの花をみせた。

「あじゅさ、こえ、くっちゅけて」

「朱陽……」

梓は困った顔で笑った。

「一度とれちゃったお花はもうくっつかないんだよ？」

「のりはー？」

「のりでもくっつかないね」

「しぇおはんてーぷは？」

「テープでもだめだよ」

「まほーは？」

「魔法かあ……」

梓はちらっと背後を見た。木の精の青龍ならあるいは植物の再生を行えるかもしれない。

だが梓は首を振った。

「魔法でもできないよ」

安易に望みを叶えてはだめだ。

「お花はかわいそうだけど……もとにはもどせないよ」

「かわいそーなの」

朱陽は胸にスミレを抱えた。

「おばあちゃん、このおはなすきなの。かわいそうなの」

「おばあちゃん？　さっきお話をしてた人？」

朱陽はこっくりうなずいた。泣いているのかと思ったが、朱陽の目に涙はない。

蒼矢はすぐに大泣きするが、朱陽が泣いたのは魔縁に襲われたときくらいだ。子供だからよく転び怪我もするが、痛くても泣いたことがない。

「おはな、おばーちゃんのなの。でもあーちゃんがとっちゃった……。あじゅさ、なおして。おはなしゃん、なおして」

「朱陽……」

　梓は朱陽の手を取ると、優しく言った。

「梓にはお花を治すことはできないよ。でも、そのおばあちゃんのために、朱陽ができること、あるよ」

「……」

　朱陽は目を見開いて梓を見つめた。


「羽鳥梓、朱陽はなんだか変ではないか？」

　夕方、家事を手伝いに来てくれた翡翠が、こっそりと梓に囁いた。

「変？　どういうことです」

「いや、ほれ」

　翡翠は梓を台所から居間が見える位置に連れ出した。

「朱陽が座っている」

「座ってますね」

　朱陽がテレビの前にちんまりと座っている。画面ではさっき再生したオーガミオー三二話が映っていた。

「オーガミオーだぞ？」

「はい、オーガミオーですね」

蒼矢と白花、玄輝はTVの前に立ってオーガミロボを応援している。

「おかしいだろう？　あの朱陽がオーガミオー上映中に大人しく座っているなどと！　どこか具合が悪いのではないか？　病(やまい)なのではないのか？」

「別にどこも悪くはないですよ。朱陽だって座ってTVを観たいときくらいありますよ」

「オーガミオーパンチ！」

蒼矢が飛び上がって朱陽の頭に自分の腕を振りおろした。ゴツンと音がしたが、朱陽は前の方に倒れただけで、すぐに身体を起こし、座り直す。

「見ろ！　蒼矢に殴られても反撃しない！　あれは本当に朱陽なのか⁉」

蒼矢や白花も不思議そうに朱陽を見ているが、朱陽は知らんふりをしている。

「あえびー、なー」

蒼矢が朱陽の腕を引っ張った。朱陽はいやそうに腕を振ると、蒼矢を突き倒す。しかしそれも座ったままだ。

「このー」

蒼矢が飛び掛かろうとする。それを白花が止めた。

「しーちゃん」

朱陽が白花を手招きした。白花は蒼矢を放り出すと朱陽のそばに駆け寄る。朱陽は白花の耳に口をつけてこしょこしょと内緒話をした。

「……、……」

うんうん、と白花がうなずいている。

よくみると朱陽は新聞紙の上に座っていた。羽鳥家では新聞は取っていないのだが。

「あの新聞はどうしたのだ」

「あ、ゴミ置き場からもらってきました」

翡翠はその言葉に蒼白になり、次には真っ赤になった。

「なんだと！　貴様ゴミの上に朱陽を座らせているのか⁉」

「ちょうどいい紙がなかったんですよ。うちにあるテレビ番組情報誌や子育て本はツルツルした紙だったから。新聞紙がちょうどいいんです」

「なにを言ってるのだ、羽鳥梓！」

梓は翡翠を見上げて微笑んだ。

「まあまあ、朱陽もあれで一生懸命なんです」

「ゴミの上に座っているのがか⁉」

蒼矢がまた朱陽にちょっかいを出そうとしている。それを白花が電気の火花をバチバチ散らせて朱陽に近寄らないようにさせていた。

「しーちゃん、あいがとー」

（ほわいとたいがーニ任セテ、ふぁいあーばーど！）

「なんなのー！」

仲間外れにされた感のある蒼矢が癇癪（かんしゃく）をおこすが、朱陽はじっと座っているだけだ。

その夜、お布団で寝るときも、朱陽は新聞紙を持ってきた。畳の上に新聞紙を置いて、敷布団を敷く。梓と目をあわせてにっこりする。

「だいじょぶかなー」

「大丈夫、朱陽ががんばっているからね」

「うん！」

朱陽は布団に入った。ときおりそっと敷布団を撫でる。

「だいじょぶ、だいじょぶ」

なにかに話しかけるようにして、朱陽は目を閉じた。

翌朝。

朱陽は梓に作ってもらったそれをポケットに大事にしまって公園にでかけた。蒼矢が誘っても茂みのお花の場所に座っている。

「こえはねー、かたばみー」

　昨日教えてもらった花の名前をひとつひとつ指で差しながら繰り返す。

「おーいぬのーふーぐーりー、しゅじゅめのーかーたーびー、しーろーちゅめーくーさー、たんぽぽー、こえもたんぽぽー」

「朱陽ちゃん、こんにちは」

　手元に影がさして、朱陽が顔をあげると昨日の老婦人が来ていた。

「おばーちゃん！」

　朱陽はぴょんと飛び上がり「こんにちはー」と挨拶した。

「はい、こんにちは」

「おばーちゃん、あのねー」

　朱陽はぽけっとを押さえてもじもじする。

「あのねー、あーちゃんねー。あのねー、わりゅいことしたのよ」

「わるいこと？」

「あのねー、おばーちゃんのおはなねー」

　朱陽はちらっと昨日スミレのあった場所を見る。

「あーちゃん、おはなとっちゃったの。あじゅさにくっちゅけてっていったけど、なおんなかったの」

「あらー」

「おはな、とっちゃったらもうくっちゅかないの」

「そうね、くっつかないわねえ」

「そしたらねー、あじゅさがねー、おばーちゃんに、こえ、あげなしゃいって」

朱陽はポケットにしまっていたものを差し出した。それは白い紙を長方形に切ったものだ。

「……まあ」

「あえびねー、きのうずっとおしゅわりして、そえ、ちゅくってたの。ねんねのときもいっしょにねんねしたのよ」

それは。

スミレの花の押し花だった。

白い紙に紫色のスミレがきれいな形で押されたしおりになっている。

「おばーちゃん、ごめんちゃい……。おばーちゃんのおはなしゃん、とっちゃって」

「まあ……まあ……」

老婦人は口に手を当てた。眼鏡の奥の目が潤む。

「まあ、朱陽ちゃん、これおばあちゃんのために作ってくれたの？」

「ん、ごめんちゃい」

「朱陽ちゃん……」

老婦人は朱陽を抱きしめた。

「ありがとう、朱陽ちゃん。おばあちゃん、このお花、宝物にするわね」

「たからものー?」

「そうよ、こんなきれいな押し花、おばあちゃん初めて見たわ。朱陽ちゃん、ありがとう。ありがとうね!」

「えー、えへへー」

朱陽は照れて笑った。


その様子を少し離れた場所で梓は見ていた。

おばあちゃんの花を取ってしまったと、がっかりしていた朱陽を助けたくて教えた押し花。あのはしゃぎまわるのが大好きな子が、昨日一日、じっと押し花を挟んだ新聞紙の上に座っていた。

摘んでしまった花は戻らない。けれど朱陽のできる範囲で、思いを形に表すことはできる。

その思いはあの老婦人にもきっと伝わる。ほら、二人はあんなに喜んでいるから……。

【蒼矢とヒーロー】


（母ナルー地球ニー、危機ガーセマール）

部屋の中で白花がオーガミオーの後番組「ガイアドライブ」のＯＰテーマを歌っている。

蒼矢にはそれが気に入らない。白花はあんなに好きだったオーガミオーを忘れてしまったんじゃないのか？

「そーらがくもっていてもーたいよーはかがやいているー！」

（今ダー、我等ノーがいあーどらいぶー出撃ダー）

だから張り合ってオーガミオーの歌を歌った。

「つばさひろげーとべーはいあーばーどー」

白花がきっと蒼矢を睨んで、録画していたガイアドライブのディスクをＤＶＤ再生機にいれる。蒼矢はすぐにそれを取り出し、オーガミオーのディスクをいれた。

（蒼矢、今ハコレヲ見ルノ！）

「だめだー、オーガミオーみるんだー」

(がいあどらいぶ！)

「オーガミオー！」

蒼矢と白花が争っている間に、玄輝がちゃっかり、新番組「魔法戦士キューティハート」の録画ディスクを入れている。

テレビのある居間は戦場だ。

「別に蒼矢はガイアドライブがキライなわけやないんやろ？」

毎回こうして起こる喧嘩に、梓は困り果てて紅玉と翡翠に相談した。

「キライじゃないです。毎朝起きてちゃんと見てるし。ただ、心情的にすぐに新しいヒーローになじむというのが出来ないらしいんですよね」

台所で茶を飲みながら大人たちは打開策を練る。

「蒼矢がオーガミオーよりガイアドライブを好きになればいいんやろ？」

紅玉は一枚のチラシをみせた。

「これに連れていったらどうかな？　実際のヒーローに会ったら、蒼矢だってガイアドライブ大好きになるんちゃうかな」

それは住宅展示場で行われるヒーローショーだった。

「へえ、こんなところでヒーローショーやっているんですか」

「そや、子供がヒーローショーで遊んでいる間、パパママにはゆっくり住宅展示を見てもらおうという企画やな、こういうとこなら遊園地ほど混み合ってもいないだろうし」

「でも、人が少ないというわけじゃないですよね。まだ人混みはそんなに経験していないから大丈夫かな……」

「なんのために我等がいると思っているのだ、羽鳥梓」

翡翠がタン、と湯飲みをテーブルに置く。

「子供四人に大人三人、これだけいれば住宅展示場だろうが、遊園地だろうが恐れるものはないぞ」

「翡翠さんも行くんですか」

梓の言葉に翡翠はぐわっと目を剥いた。

「わ、私を連れていかないつもりか！　おのれ、子供たちとの楽しいヒーローショーを独り占めするつもりだな！」

「いえ、そういうわけでは……っていうか、翡翠さん、めっちゃ行きたいんですね」

「当たり前だ！　四神子たちとのヒーローショー！　これをどれほど夢みたことか！」

「すまんなあ、梓ちゃん。翡翠のやつも連れてってあげて」

紅玉がこそっと耳打ちする。

「こいつ、子供たちが特撮好きだと聞いてから、一緒にヒーローショーに行けるってほんまに楽しみにしてたんや」

「ちょっと待て！　その言い方だと私がヒーローショーに行きたがっているみたいではないか！」

「あれ？　だって行きたいんやろ？　時々そういうポスターじっと見とるやないか」

「なにを言うか！　この私が、みんなー正義の味方を応援してねーとか、光のパワーを与えてやっつけよーとか、声が小さくてパワーが足りないよーとか言われて大声で応援することなどできるか！」

「なんでそんなに詳しいんや……」

梓は笑いながら翡翠と紅玉の湯飲みに茶を追加した。

「わかりました。俺だって翡翠さんや紅玉さんたちがいなければ子供たちをヒーローショーになんて連れて行けないですからね。当日はよろしくお願いします」

その日はよく晴れた外出日和（びより）だった。

梓は子供たちのためにおにぎりを大量に作り、水筒も四つ用意した。おそろいの肩掛けバッグの中にはキャンデーの袋とクッキーの袋もはいっている。あと、ウエットティッシュとハンカチも入れた。

迷子になったときのために迷子札も作って首にかけた。もっとも彼らが迷子になれば、高尾の山から天狗が飛んでくるだろう。

九時になって、翡翠が八人乗りのバンを運転してやってきた。紅玉が助手席にいる。チャイルドシートはもちろん装備されていた。

「さあ、みんな。車に乗って」

「わあ！　じどうしゃだー！」

子供たちは車に乗るのも初めてだった。後部座席の上で這い回ったり、運転席に越境しようとするのをなんとかシートに座らせてシートベルトをつけさせる。

「しゅっぱつちんこー！」

エレベーターで気分が悪くなったことがあるので、車は大丈夫かなと心配したが、酔いもなく、楽しんでいる。

「あじゅさあじゅさー、ひといっぱいねー、くるまいっぱいねー」

車の窓に顔を押しつけ、四人は走り去る町の風景を見ていた。

「あー、ばいく、かっこいー！」

蒼矢が隣を通りすぎるバイクにぴょんぴょんと尻をはね上げさせ喜ぶ。

（オウチ、イッパイネ）

白花もさまざまな色や形の建物に目を丸くしていた。

「……」

玄輝は黙って窓の外を見ているが、時々、外に向かって手を振っていた。

こんなふうにはしゃぐ子供たちを見ていると、もっといろんなところへ連れ出したいと思う。公園やスーパーやご近所や、毎日毎日が冒険なのはわかっている。けれどもっとたくさん、もっといろいろなものを見てほしい、楽しんでほしい、驚いてほしい。

梓に託された時間は七年。七年たてば子供たちは成人し、神として生きることになる。それまでに人間の子供としての楽しい記憶をたくさん持っていってほしい。

そして、自分たちが守るべきものを知ってほしい……。

梓は座席に座る朱陽の頭を撫でた。

「なぁに？　あじゅさ」

「ん、なんでもないよ」

手に伝わる温かい命に愛おしさがあふれてくる。最初に卵を預かったときには、まさか自分がこんなにも子供たちを愛するようになるとは思っていなかった。

他のおかあさんやおとうさんたちは、こんなふうに止めることのできない愛情をどうしているのだろう……。

やがて車は目的地の住宅展示場についた。駐車場から降りて、色とりどりの風船や花で飾られた展示場のエリアにはいる。

梓ははーっとため息をついて展示場の中を見回した。最新の建築技術で作られた美しい家がまるで絵のように並んでいる。

「すごいですね。俺、今まで住宅展示場なんて入ったことなかったんですけど、なんだか遊園地みたいですねー」

「そやなあ、僕も初めてや。この家全部売ってんの？　どえらい広いなー」

紅玉もきょろきょろしている。

「きれいな建物に花壇に……あっ、みんな、うさぎさんが風船配ってるよ！」

梓が指さすと、わっと子供たちがピンク色のうさぎに殺到する。うさぎは子供たちそれぞれの手にカラフルな風船を渡した。

「あじゅさ、あじゅさ、これなにっ！　なにっ！」

蒼矢が風船をぼんぼんとひっぱる。

「これは風船。手を離したらお空に飛んで行くからしっかり持っているんだよ」

「あじゅさ、あじゅさ、みてー」

風船を二つもらった朱陽がとん、と地面を蹴ると、その身体がふわりと浮かぶ。

「わー！　だめー！」

あわててその身体を捕まえる。

「だってー、ふーせんおそらにいくってー」

「風船が空に行きたがっても朱陽はお空にいっちゃだめだよ」

（梓……）

白花が梓の服をひっぱる。

（蒼矢、飛ンデル）

「わーっ！」

蒼矢は風船を片手にふわふわと浮いて、他の子供たちから憧れのまなざしで見られていた。

「蒼矢も！　飛んだらこのまま帰るからね」

「ちぇーっだ」

唇を突き出す蒼矢を紅玉が抱き抱えた。

「そーちゃん、他の子供は風船ひとつくらいで空は飛べんのや。オーガミオーも自分の正体隠しとったろ？　そーちゃんも大人しくしとらんと」

「うー」

蒼矢は不承不承という顔でうなずいた。

風船を手にはしゃぐ子供たちに翡翠が目を潤ませる。

「風船と四神子……なんてかわいいんだ！　なぜ私はカメラを持ってこなかったんだ！」

「翡翠、泣いてないで保護者の仕事をしろ！」

ヒーローショーは展示場の奥にあるスペースで行われるらしい。意外としっかりしたステージの前に、ブルーシートが敷かれている。すでに子供たちが大勢座っていた。

「おお、ここがヒーローショーのステージか！」

翡翠の目が輝く。朱陽の手をひっぱって舞台に近づいていった。

「見ろ、朱陽。ステージは案外小さいが背景の書き割りもしっかりしているし、照明器具も多いぞ、これは楽しめそうだ。お、あのボックスは発火装置か」

翡翠はステージの近くをうろうろして、スタッフに追い払われていた。

「翡翠、お前はちょっと落ち着いてここに座れ」

紅玉は翡翠をむりやりブルーシートの上に座らせる。

「みんな、ここには知らない人たちがいっぱいいるからね。おうちみたいに変身したりしちゃだめだよ？」

梓が言い聞かせると、子供たちは「あーい」と声は上げるがどこか上の空のようだ。ガイアドライブの看板や他の子供が持っているおもちゃをみてそわそわしている。翡翠はこのヒーローショーを運営している団体のチラシをじっくり読み込んでいた。他のショーの日程が書かれているらしい。

「あじゅさあじゅさ」

蒼矢が梓の服のすそをひっぱった。口元に手をやっているので、耳を近づける。

「ほんとにここにガイアドライブくるの？」

「うん、くるよ」

「オーガミオーはこないの？」

「うん、オーガミオーはこないだバイバイしただろ？　だから今日はガイアドライブを応援しようね」

「ん――……」

蒼矢はうつむく。靴の先でブルーシートをぐりぐりと擦る。

やがて時間になり、司会のおねえさんがステージに現れた。

「さあ、よい子のみんなー！　今日はこのXY住宅展示場にガイアドライブのみんなが来てくれましたー！　大きな声でガイアドライブを呼んでみようね、せーの、」

「ガイアドライブー！」

「声が小さいよ、もっと大きく！　せえの！」

「ガイアドライブー！」

玄輝を抱き抱えた翡翠が叫ぶ。周りの大人たちがくすくす笑うが、翡翠はステージに集中して聞こえていないようだった。

するとステージの両脇からバシュッと白い煙が吹き出し、背後の山の書き割りから、ガイアドライブ四人のうち二人が、大きく回転しながら現れた。

「わあっ！」と子供たちの歓声があがる。

朱陽も白花も玄輝も立ち上がっていた。

「あじゅさあじゅさ！　ガイアレッドとアクアブルーだ！」

（オッキイ！　スゴーイ！　カッコイイー！）

「……っ！　……!?」

トランポリンでも使っているのか、ガイアドライブも敵の怪人たちも飛ぶ飛ぶ。小さなステージなのに三次元的な動きのせいで大きく見えた。

やがてステージの上では悪の怪人がヒーローたちを圧倒しはじめた。今までの怪人たちより二倍も大きな怪人が現れたのだ。着ぐるみみたいに見えるが、どうやって人が動かしているのかわからない。

司会のお姉さんが子供たちに向かって叫ぶ。

「みんな！　ガイアドライブを応援して。大きな声でがんばれーって言ってね。せーの！」

「がんばれー！」

ちびっこたちの甲高い声援。

「もっと大きな声で、がんばれー！」

「がんばれー！」

「ガイアレッドー！」

（あくあぶるー！）

朱陽や白花も声援している。しかし、その中で、蒼矢は自分の手で自分の口をふさいでいた。

「どうしたの？　蒼矢、応援しないの？」

梓が歓声の中で蒼矢の耳に囁いた。蒼矢は泣きそうな顔で梓を見上げる。

「オーガミオー……」

「え？」

「オーガミオーなかない？」

蒼矢の目に涙が浮かぶ。

「そうや、ガイアドライブおうえんしていいの？　そうやがガイアドライブおうえんしたら、オーガミオーなかない？　みんなガイアドライブのことばっかりで、オーガミオーかわいそうだもん」

「蒼矢……」

新しいヒーローになじめないのかと思っていたのだが、そう単純な話ではなかったのだ。

蒼矢は自分がガイアドライブを応援することは、オーガミオーに対する裏切りのように思っているのだろう。

梓にも覚えがあった。最終回のすぐあと、新しいアニメがはじまって、そのアニメが面白ければ面白いほど、前の大好きだった作品を忘れてしまう。それが自分でも寂しいと思った。だから、新しい作品で盛り上がる友達たちの輪の中に入っていかなかったことがある。

蒼矢はオーガミオーをそれほど大事に思っているのだ。

「蒼矢、大丈夫だよ」

梓は蒼矢の身体を自分の方に抱き寄せた。

「オーガミオーは番組の最後に言ってただろ、これからはガイアドライブをよろしくって！　オーガミオーとガイアドライブは仲間なんだ。蒼矢はオーガミオーから任されたんじゃないか、ガイアドライブを応援してくれって」

「まかしゃれた？」

「そう、蒼矢はオーガミオーの頼みを聞いてあげなきゃ！　今、蒼矢がガイアドライブを応援しなくて誰がするんだよ」

「――――」

蒼矢は目を見開いた。その目に輝きが戻っている。

「……ガイアドライブ……」

蒼矢は立ち上がった。

「がんばれー！」

突然後ろから大声を浴びせられた朱陽と白花が驚いて振りかえる。

「がんばれー！　ガイアレッド！」

その声に応えるようにガイアレッドが立ち上がった。そしてアクアブルーと一緒にジャンプして、大きな怪人の胸にダブルキック！　ダブルパンチ！　ダブルチョップ！

「がんばれー！」

遂に巨大怪人が倒れた。

わーっと会場の声がひとつになる。

「ガイアレッドー！」

蒼矢は梓が支えていなければそのまま飛んでいきそうな勢いで手を振っている。

やがてステージショーが終わり、ヒーローたちと握手や写真撮影ができるグリーティングがはじまる。蒼矢、白花、朱陽、玄輝、そして翡翠も保護者の顔をしてその列に並んだ。

すぐ目の前に本当のヒーローたちがいる。子供たちの顔は緊張と期待できらきらしていた。

蒼矢の番になった。

ガイアレッドが蒼矢の小さな手を握る。

「……オーガミオーは……」

　蒼矢はガイアレッドに向かって言った。

「オーガミオーはガイアドライブよろしくっていってたよ、ガイアドライブとオーガミオーはなかま？」

　一緒についてきていた梓はドキリとした。ヒーローショーに出演しているヒーローたちはテレビに出ているアクターとは違う。もし、この「中の人」がテレビのそんなセリフを知らなかったらどうしよう……。

　だが、ヒーローはヒーローだった。

　ガイアレッドは蒼矢に向かってぐいっと親指をたてたポーズを決めた。そして、オーガミオーの中のファイアーバードのポーズ、両手を胸の前であわせ、その手を大きく開く、というのまでやってくれた。

「ふわあ……」

　蒼矢の頬が真っ赤になる。

　ガイアレッドは拳の甲（こう）を蒼矢に向けた。蒼矢ははっとして、その拳に自分の手の甲をあわせる。ガイアレッドがうなずいた。

「……あじゅさ……」

　ガイアレッドの前から離れた蒼矢がため息をつくように呼んだ。

「ほんとだ、ガイアドライブはオーガミオーのなかまなんだ。ガイアレッドかっこいい

「……すごいかっこいい……」

まるで雲の上を歩いているみたいにふわふわしている。

「あっ！」

梓は蒼矢の両肩を押さえた。

「蒼矢だめ！　足が地面から離れてるよ！」

実際浮いていたようだ。

他の子供たちもガイアレッドやアクアブルーに握手してもらって有頂天(うちょうてん)になっている。白花はオーガミオーの渚史郎より、スマートな対応のアクアブルーが気に入ったらしい。朱陽はガイアレッドに抱き上げてもらってこっちもはばたいていきそうな勢いだった。玄輝は普段と変わらず落ち着いていたが、その口元が緩んでいる。

子供たちはすっかりヒーローショーがお気に召したようだった。

「よかったな、梓ちゃん。みんな喜んでくれて」

紅玉は住宅展示場のパンフレットをやまほど抱えていた。出口に出るまでにたくさんの営業さんから差し出されたものだ。元々神様だった紅玉は、もらいものを断ることができない性質なのだと言う。

「はい、紅玉さんと翡翠さんのおかげです。俺ひとりだったら子供たちをこんなところまで連れてこれなかったですよ」

「……こんなに近くでヒーローショーを見ることができたのは初めてだ……」

翡翠もぼうっとした顔で呟いた。彼はアクアブルーと握手をした上、写真を撮ってもらってそれを一枚五〇〇円で購入していた。翡翠の姿はなんだがブレてぼんやりしていたが、彼はその写真を宝物のように抱きしめている。

「今まで遠くから眺めたことはあった。いつか観に行きたいと思っていたのだが、やはり大人の姿では恥ずかしさが先にたって……、ああ、今日はいい日だ。最高の日だ」

「翡翠さんも心底楽しんだようですね」

「そうやなー、あいつ意外とミーハーやったんやな」

「あんな調子で帰りの運転大丈夫かな……」

浮かれてはいたが、車に乗ると翡翠はもとのようにてきぱきした様子に戻った。子供たちのシートベルトを確認し、流れるようなハンドルさばきで混雑した駐車場から車を出す。

「ははなるーちきゅうにーききがせまるー」

車が動くと蒼矢と朱陽が歌いだした。

「いまだーわれらのーがいあどらいぶーしゅちゅえきだー」

これで居間での喧嘩はなくなるだろう。蒼矢は大好きなオーガミオーから頼まれたガイアドライブの応援を心置きなくできるようになる。梓はほっとしていた。

「羽鳥梓」

運転席の翡翠が振り向いた。

「これからは私も日曜の朝にお前の家へいくぞ」

「はあ？」

「アクアブルーを応援せねばならぬ。我々の応援がアクアブルーのパワーになるのだ、なあ、みんな！」

翡翠が後部座席を振り向くと、子供たちがわあっと歓声を返した。

（アクアブルー、応援スルー）

「ガイアレッドのほうがかっこいいよ！」

「ちょっと待ってくださいよ、翡翠さん。日曜朝って、ガイアドライブって七時放送ですよ!?」

「だからなんなのだ？」

梓は紅玉を見た。ＳＯＳを発したつもりだったが、紅玉はすまなそうな顔で笑い、肩をすくめただけだ。

「そんな……子供たちだけでも大変なのに、勘弁してくださいよー」

車の中にガイアドライブの主題歌があふれる。梓の悲鳴は歌声の中に消えていった……。

【白花と足の鬼】

白花が砂場で泥だんごの制作に勤しんでいたときのことだ。

今日は泥だんごを三つ作る、というのが、白花が自分に課した決まりだ。しかもそのだんごは完全な球でなくてはならない。どこにも欠けやでこぼこがあってはならない。

砂場でよく遊ぶマーくんの作った泥だんごは完璧だった。何日も乾燥させ、磨かれ、できあがったそれはきらきらと太陽の光を反射して、まるで宝石のように見えた。

マーくんはその泥だんごに色を塗ると言っていた。青くするのだろうか？　赤くするのだろうか？

泥だんごをつくるにはまず芯となるだんごを作るところから始める。水で濡れた泥をぎゅっぎゅっと握ってできるだけ丸い玉をつくる。この握りで力をいれて水分を出してしまう。水が少なくても固まらないし、多いとぐずぐずになってしまう。握りは重要だ。

そのうえに乾いた砂をかけどんどん大きくしてゆく。このときにとにかく完全になめらかな球を目指す。

そしてそのあと、できあがった泥だんごを自宅で休ませる。休ませているときに形が崩れたりヒビがはいったりする場合がある。そのための三つなのだ。三つの中のひとつでも完璧にできあがればいい。

泥だんごの芯の上から砂をかけ、好みの大きさに丸めるまで三〇分以上かかる。今日中に三つ完成させることができるか？　時間との戦いだ。

使命に燃える白花の目の前に、すっと足が立った。足は裸足でけむくじゃらで、爪がするどく伸びている。

「……」

白花は上を見上げた。

足は大きく、膝まである。しかし膝の上にはなにもない。鬼だ、と白花にはわかった。家にも時々いる。ただ家の鬼は小さいので握りしめれば消えてしまう。

この足は握るには少し大きすぎる。

「……」

白花はそれに背を向け、別な場所の砂を掘ろうとした。自分の手におえない鬼は無視するにかぎる。

しかし、やはり目の前に足が立つ。

白花はもう一度姿勢を変えた。だが足はしつこく目の前にある。足は白花の前でぱたぱたと跳ねた。

（ナンナノ？）

白花は苛ついた調子で言った。時間がないのに鬼なんかの相手はしていられない。

足はぱたぱたと地面の上で踊り続ける。念話は使えないようだし、足しかないので、なるほど、話すこともできない。

白花が泥だんごを作るには、この邪魔な足にどいてもらうしかなかった。

仕方なく、白花は手にしていたプラスチックのバケツに砂を入れ、それを砂場の縁のコンクリに逆さに置いた。そうっとバケツを取ると、円錐台（えんすいけい）の形になる。

白花は円錐台に指で二つの穴を開け、それからぐいっと横線を引いた。たちまちそこに簡単な顔ができた。

白花は足を見上げてこれに入るようにと言った。

足は白花の作った円錐台の砂の上に足を乗せ、すうっとその中に消えた。すると、砂の口の部分がぱくぱくと開いた。

（ナンナノ？）

白花は砂の顔に聞いた。

「形ヲ作ッテくだされ」

砂の顔はそう言った。

「走るコトがデキル形を、触れるコトがデキル形ヲ」

（カタチ？）

「大恩アル人のために、今こそ、恩返しノタメに」

（恩返シ……）

「ズットズット、探していました。私は昔ハ犬ダッタのです。白い、大きな、犬だったのです」

白花の目の前に広い草原が広がった。その草原の中を白い犬と幼い少女が駆けてゆく。少女はつぎの当たった着物を着ていたが、その表情は明るく、あどけない。

（昔、私はあの子と一緒でした。あの子は私をとてもかわいがってくれた。貧しい家の子供でした。でも自分の食事を分けてでも、私に食べさせ、大きくしてくれました）

やがてその草原は、戦場となった。刀を持った大勢の武者が馬で駆けて、田畑は踏みつぶされ、家は焼け、人々は山へ逃げた。

（山での生活は苦しく、人々は飢えて連れてきた家畜たちを殺して食べました。そして私も食べられるために殺されそうになりました）

農民の鍬が、鎌が、白い犬に襲いかかる。しかし、それを受けて血を流したのはあの少女だった。

「逃げて！」

少女の必死の声に犬は山奥へ逃げ去った。

（私は山の中で犬としての生を終えました。けれど残ったあの子のことが心配でなりません。私はいろんな生き物に転生しました。虫や花や鳥や……人間になったこともありました。記憶はなくしても、あの子に恩を返したいという気持ちは心の隅にずっと残っていました）

砂の顔は開いた目の穴から滴を零した。

（けれど私にはもう次の転生はありません。私は天にあがることを拒否し、鬼となってこの世にとどまりました。あの子を探して恩を返すためです……そして、とうとうこの公園であの子をみつけたのです）

白花は砂の顔の言葉に公園を見回した。たくさんの子供が遊んでいる、この公園の中に？

（鬼となった私にはあの子に不幸が迫っているのがわかります。早く早く、私に駆けることのできる形を、触れることのできる身体を！）

（ワカッタ）

この鬼の願いを叶えないことには自分の作業が始められない。白花はそう判断した。

決めてからの白花の行動は早かった。砂場と水飲み場の間を何度も往復し、湿った砂でもりもりとカタチを作り始めた。それはなだらかな枕のようなカタチをしていた。長さは白花の肩から下くらいまでで、高さは膝くらいまでもあった。

砂を盛るとそれを手のひらで擦って形を作る。指先で線を描く。

（早く、早く）

砂の顔が急かす。白花は急いではいたが、できるだけ丁寧に作業を行った。作っている途中で、梓がベンチからやってきた。

「白花、これなにを作ってるの？」

（カタチ）

「カタチ？」

（走ルコトノデキル脚ト、触レルコトノデキルからだ）

梓は腰をかがめてその姿をよく見ようとした。

「白花、これ、もしかして尻尾かな？」

形の先端部分に白花の指で線が引かれている。そのそばには大きな曲線も引かれていた。それはたくましい腿の形をしている。

白花は大体の形を作り終えるとコンクリの縁に置いていた円錐台の砂にバケツをすっぽりとかぶせた。逆さにすればバケツの中に砂が入る。その砂を今度は作った形の、尻尾とは逆の先端に乗せた。

白花の手が円錐台の砂を変えてゆく。とがった鼻と三角の耳をもつ頭に。

（デキタ！）

白花がそれの尻を叩く。するとそれは砂を振るい落として立ち上がった。砂色の大きな犬だ。

「うわ！」

何も知らない梓が声をあげる。

犬はたっと軽やかに砂場を出て公園の入口に向かった。

エリカちゃんは公園の前の道路を横切ろうとしていた。そこへ、車が一台、つっこんでくる。

ちょうどそのとき、公園から一人の女の子が出ようとしていた。エリカちゃんだ。

「エリカ！」

エリカちゃんママが悲鳴を上げた。ちょうど妹のカリンちゃんをベビーカートに入れようとして目を離していたのだ。

ドンッと鈍い音がして、ふらふらっとよろけた車が道路脇に止まった。エリカちゃんママが駆けつけたときには、エリカちゃんは道路の反対側でびっくりした顔で座り込んでいた。

「エリカ、大丈夫⁉　怪我は⁉」

エリカちゃんママは娘を抱きしめた。

「うん……」

エリカちゃんは空を見つめながら呟いた。

「ママ、犬がね、いたよ……」

「犬？　犬なんてどこに……」

「エリカ、あの犬知っている気がする……」

車の運転手も降りてきてきょろきょろとしている。

「あれ、犬が……犬をはねたような気がしたんだが」

道路の真ん中には大量の砂がぶちまけられているだけだ。その砂の形はどこか四つの足を持っている動物のような形をしていた。

白花は公園の入口で自分の作品の最期を見届けた。

道路の砂の中にはもうなにもいない。

見上げた青空の中に白い犬が喜んで駆けていくのが見える。

（ありがとう！　ありがとう！　あの子に会えて、恩返しができてよかった！）

白い尻尾が大きく振られて消えていった。

白花はふうっと大きく息をついた。

さて、これで心置きなく泥だんご制作作業に戻れる。今日はあと二つ作る予定なのだ。

さっきのひとつももう少し大きくしたいし、まったく余計な時間を使ってしまった。

砂場に戻ってさっき作った泥だんごを手にした白花に、梓が声をかけた。

「白花、今の……砂の犬って……」

白花はちらっと梓を見たが、説明せずに泥だんごに砂をかけ出した。

梓は白花と公園の入口とに交互に目をやっていたが、やがてため息をついて肩を下げた。

「なんかよくわかんないけど……誰も見ていなかったし、エリカちゃんも事故に遭わなかったし、いいか……」

そして改めて白花に告げる。

「さあ、白花。そろそろおうちに帰るよ」

「……!」

白花はその日一番のショックを受けた顔を見せた。

【玄輝と白い蝶】

玄輝はベンチの上に座っていた。たいていこのベンチに座る。

公園には七つのベンチがある。

四つは公園をぐるりと囲む花壇にそって置かれ、のこりの三つは公園の真ん中と、ブランコのそばと、入口近くにあった。

玄輝の好きなベンチは真ん中のベンチだ。

ここからは公園のほぼ半分が見渡せる。ジャングルジムもブランコも見えるし、白花のいる砂場も見える。蒼矢の好きなコンクリの山は背後だが、それほど離れていないので声はよく聞こえた。

玄輝がこのベンチを好きなのは北を向いているせいもある。玄武は北を守る聖獣だから、自分の位置にあっているとも言える。

梓は玄輝のとなりで伸びをした。暖かな日で、この春初めてのモンシロチョウも飛んでいる。

玄輝をみると目を閉じて眠っているようだったので、そっとベンチを立つ。

ブランコのところに蒼矢がいたのでそこへ寄ってみた。待つのが苦手な蒼矢も、最近では他の子とおしゃべりしながらブランコの順番を待つことができるようになってきていた。

「あじゅさ、うしろおしてー」

蒼矢がブランコに座って言った。梓が背中を押すと足を大きく曲げ伸ばしして勢いをつける。

「もっとおしてー」

「あまり高くするとあぶないよー」

そう言いながらもう一度ぐん、と押す。きゃはははっと蒼矢の甲高い笑い声が空に吸い込まれてゆく。

（じゃんぐるじむ……）

不意に耳元で誰かが囁いた。

（……あぶないよ）

梓ははっとジャングルジムの方を振り向いた。てっぺんに朱陽と白花がいる。誰かしらない子と話をしているようだ。梓は思わず駆けだした。

（危ない？　危ないって誰が？　白花が？　朱陽が？　それともお友達が⁉）

梓がジャングルジムに到達するのと、白花の身体がぐらりと傾くのが同時だった。

「しらはな――――！」

白花は頭をさかさに落ちてきた。

「――――！」

梓の伸ばした腕の中に白花の身体がドサリと　納まる。

「……っ、白花！　大丈夫か！」

白花は目をぱちぱちとさせた。上の方で朱陽が騒いでいる。

（ゴメンナサイ）

白花は謝った。足を滑らせてしまったようだ。

「い、いや、無事ならいいんだ……」

驚いた。いや、あの耳元の声に従っていなければ、白花は頭から地面に激突していただろう。いくら白虎でも人型をとっているかぎり、怪我をしてしまうかもしれない。

あの声は誰だったんだ？

（ぶじでよかった……）

再び耳のそばで声がした。

あわてて周囲を見回したが誰もいない。いや……。

モンシロチョウがふわふわと舞っている。

（チョウ――――？）

その蝶は頼りない動きでゆっくりとベンチの方へ向かった。玄輝が寝ているベンチだ。見ていると、玄輝の顔のそばまでいって、それからすうっと吸い込まれるように消えた。

(え?)

玄輝が目をぱちりと開けた。腕を伸ばしてあくびをして、こちらを見ている梓と目をあわせた。

にこりと微笑む。

「玄輝……?」

大昔の中国にそういう話がなかったか? 魂が白い蝶になって遊ぶ話が。

玄輝はいつもああやって、眠っているときに魂を飛ばしているのだろうか?

いや、今のは単に見間違いだろうか。白い蝶はたんに見失ってしまったに違いない。

玄輝がベンチから降りてジャングルジムの方まで歩いてきた。白花と一緒にジムに上り始める。

「……」

梓が見つめていると、玄輝は中程まで上って足を止めた。おなかでひっかけ、ぶらんとぶらさがる。梓はその姿にくすっと笑った。

白い蝶は玄輝かもしれない、そうじゃないかもしれない。

でもそれはどうでもいいことだ。白花の危機を知らせてくれて、結果、白花は助かった。

そのことだけが重要だ。

子供たちと暮らしていると不思議なことばかりだ。きっとそれは彼らが四神の子供だから、というだけではない。

子供はその存在自体がきっと不思議で奇跡なのだろう。

子供は魔法使いだ。そして神様だ。日々、新しいものを見せてくれて、感動をくれて、感謝をくれる。

昨日より今日、今日より明日と成長してゆく。

この日本の東京の池袋の片隅で。

四神の子供たちは、元気に確実に、成長している。

コスミック文庫 α

神様の子守はじめました。3

2022年10月25日　初版発行

【著者】　霜月りつ
【発行人】　相澤　晃
【発行】　株式会社コスミック出版
〒154-0002　東京都世田谷区下馬 6-15-4
【お問い合わせ】　一営業部一　TEL 03(5432)7084　FAX 03(5432)7088
一編集部一　TEL 03(5432)7086　FAX 03(5432)7090
【ホームページ】　http://www.cosmicpub.com/
【振替口座】　00110-8-611382
【印刷／製本】　中央精版印刷株式会社

ISBN978-4-7747-6428-3 C0193